대장암 명의 김남규 교수와 베스트 대장암팀의

# 대장암완치설명서

**대장암 명의**
김남규 교수와 베스트 대장암팀의
# 대장암완치설명서

**펴낸날** 초판 1쇄 2012년 9월 5일 ｜ 초판 4쇄 2015년 11월 1일

**지은이** 김남규

**펴낸이** 임호준
**이사** 홍헌표
**편집장** 김소중
**편집 3팀** 윤혜민 김은정 김송희
**디자인** 왕윤경 김효숙 ｜ **마케팅** 강진수 임한호 김혜민
**경영지원** 나은혜 박석호 ｜ **e-비즈** 표형원 이용직 김준홍 차상은

**인물 사진** 신지호 ｜ **일러스트** 송진욱

**펴낸곳** 비타북스 ｜ **발행처** (주)헬스조선 ｜ **출판등록** 제2-4324호 2006년 1월 12일
**주소** 서울시 중구 세종대로 21길 30 ｜ **전화** (02) 724-7639 ｜ **팩스** (02) 722-9339
**홈페이지** www.vita-books.co.kr ｜ **블로그** blog.naver.com/vita_books

ISBN 978-89-93357-85-1 14510
      978-89-93357-20-2 (set)

대장암 명의 김남규 교수와 베스트 대장암팀의

# 대장암완치설명서

김남규 지음

ChosunMedia
헬스조선

# 환자 중심의 치료법으로 대장암을 완치한다

필자가 전공의를 하던 시절인 1980대 초반에는 대장암의 발생 빈도가 낮아 1주일에 한 건의 수술이 시행되었던 기억이 난다. 현재 세브란스병원에서 매주 시행하는 수술 건수와 비교하면 근 30년 사이에 대장암 발병이 매우 늘어난 것을 실감할 수 있다.

2009년 국가 암 통계 자료에 의하면 대장암이 남성 암에서 2위, 여성 암에서 3위의 발생 빈도를 보이며 인구 10만 명당 60명 수준으로 유럽과 미국의 수치를 넘는다. 또한, 매년 발생률이 평균 5~6%로 빠르게 증가하고 있어 전형적인 서구식 암의 역습으로 여겨지고 있다. 이러한 대장암의 높은 발생 빈도는 한국뿐만 아니라 아시아 국가에서 공통적으로 나타나는 현상으로, 누적된 서구식 식습관과 생활습관이 원인이라고 보고 있다. 즉, 서구식 식습관과 생활습관을 고치면 예방할 수 있는 암이라는 뜻이기도 하다. 잘 알려진 것처럼 붉은색 고기 및 동물성 지방의 섭취 증가, 섬유질 섭취 저하 등의 식이 원인, 만연된 흡연, 과음, 비만, 운동 부족 등이 위험인자로 지적되어 이를 줄이기 위한 노력이 필요하다.

아울러 대장암의 전구(前驅) 병변인 선종성 폴립(샘종)을 제거하면 암이 예방되는데, 이는 정기적인 대장내시경 검사를 통해 폴립을 제거하면 된다.

국민건강보험공단의 국가 검진사업과 대한대장항문학회의 대국민 캠페인 덕분에 조기암의 발견율이 높아지고 있음을 진료실에서 체감하고 있다. 배변 증상의 변화 등이 암 발생과 관련이 있다고 홍보되어 대장암의 증상과 예방에 대한 인식이 늘어난 듯하다. 많은 사람들이 일찍부터 병원을 찾아 대변잠혈 검사, 대장내시경 검사 등을 받아 수검률이 높아지고 있어 무척 다행스럽게 생각한다.

대장암의 치료 성적도 밝은 소식이다. 90년대에는 5년 생존율이 55~60%이던 것이 2008년 발표에 의하면 70.1%로 크게 늘었다. 이러한 치료 성적은 선진국과 비교하여도 손색없는 결과이다. 대장암 치료의 발전은 효과적인 항암제, 부작용이 적은 방사선치료, 회복이 빠른 수술 기법 등의 요인과 다학제적 접근 치료 방법이 큰 역할을 한 것으로 생각한다.

대장암은 각 병기에 맞게 치료해야 한다. 예를 들어, 대장내시경 절제술로 완치 가능한 조기암은 점막 절제술을 시행하며, 진행된 대장암이나 직장암은 수술 전 항암약물방사선치료를 먼저 시행하고 근치적 수술을 하고 있다. 이렇게 대장암의 정확한 병기 판단과 그에 맞는 치료가 따라야 암을 완치하고 삶의 질을 향상시킬 수 있다.

환자의 암 진행 상태에 따라 제일 적합한 치료 방법을 적용하는 것이 중요한데, 이는 다학제 토의 및 치료가 활성화되어야 가능하다. 세브란스병원 대장암 전문클리닉은 이러한 접근을 10년 넘게 해왔다. 희귀 대장암, 진행된 암, 재발 및 전이암 등에 대해 대장암 위원회를 개최해 각 분야별 교수들의 의견을 청취하여 가급적 근거 중심으로 환자를 치료했으며, 근거가 부족한 경우에는 새로운 치료 방법을 모색하기도 했다. 이는 각 치료 방법의 특성을 이해하는 좋은 계기가 되었고, 꾸준한 노력으로 가장 좋은 팀워크와 전문성을 가지게 되었다.

2005년부터 새 병원 내에 대장암 전문클리닉이 개설되면서 더욱 환자 중심으로 진료가 가능하게 되었고, 긴밀한 협진 체계로 환자 진료의 질 향상뿐만 아니라 교수들의 연구 및 전공의 교육의 질 향상도 가져오게 되었다. 올해는 환자와 보호자를 앞에 놓고 여러 교수들이 함께 진료하는 다학제 진료를 시작한 해이기도 하다. 치료에 실패하거나 치료의 방향 결정이 어려운 경우, 함께 모여 의논하고 결정하되 환자 앞에서 진료하는 다학제 진료를 처음 시작한 것이다. 최근에 다학제 진료의 성과로, 간 전이 환자의 수술 전 항암약물치료의 맞춤 항암치료제가 간 절제율 향상에 기여한다는 사실을 밝혔고 수술 전 항암약물치료를 시행했을 때 간 절제 후 예후를 가늠하는 지표를 개발하였으며, 진행성 직장암과 간 전이가 동시에 있을 때 단기 방사선치료 및 항암약물치료 등의 새로운 치료법을 제시하기도 하였다.

또한 세브란스병원 대장암 전문클리닉은 최소 침습수술, 즉 복강경수술이 종양학적으로 안전함과 동시에 수술 후 회복이 빠르다는 장점 때문에 수술에 많이 적용하고 있으며, 특히 최신 수술 기법으로서 2006년 아시아에서 처음으로 시행한 로봇수술이 직장암 치료 분야에 잘 정착되었고 현재는 세계적으로 이 분야의 선도적 역할을 하고 있다.

매주 화요일과 수요일에 열리는 컨퍼런스에서는 치료 방향이 어려운 암, 희귀암에 대해 이른 아침부터 의견 교환을 한다. 또한 임상연구 및 이행성 연구 프로토콜을 발표하고 연구에 동참함으로써 대장암 치료의 방침을 끊임없이 모색한다.

이 책은 이처럼 진료와 연구에 노력을 아끼지 않는 세브란스병원 대장암 전문클리닉의 교수님들과 진료진들의 성과물이다. 발병률이 급속히 늘면서도 5년 생존율 역시 높아지고 있는 대장암에 대해 더욱 많은 독자들과 환자들의 인식이 좋아졌으면 하는 바람으로, 보람되게 작업하였다. 〈대장암 완치 설명서〉로 완치의 희망을 함께 누릴 수 있었으면 한다.

비가 오나 눈이 오나 밤낮으로 환자 진료와 연구, 교육에 힘쓰는 대장암 전문클리닉 교수님들과 진료진들의 노고에, 늦었지만 지면을 빌려 깊은 감사 인사를 드리고 싶다. 이러한 노력들이 급증하는 대장암 환자들의 치료에 많은 공헌을 할 것을 의심치 않고, 더욱 연구에 힘써 환자에게 좋은 역할을 수행할 것으로 기대한다.

책이 나오기까지 집필하는 데 노력을 아끼지 않으신 대장암 전문클리닉 교수님들과 진료진, 보건대학원 지선하 교수님, 연세대 스포츠레저학과의 전용관 교수님, 헬스조선의 권지숙 편집자, 전민식 작가에게 깊이 감사드린다. 또한 마지막까지 원고를 취합하고 수정에 노고를 아끼지 않은 김영미 간호사, 정혜정 간호사께도 감사의 인사를 전한다.

2012년 9월
김남규

# 04 수술 후 관리가 완치를 결정한다

PART

# 01

# 대장, 우리는
# 얼마나 알고 있을까?

우리는 평소 대장이 어떻게 생겼는지 제대로 알지 못
하다가 문제가 생긴 후에야 대장의 생김새부터 역할까지 되짚어보게 된다.
과연 대장은 어떻게 생겼을까? 우리가 어렴풋이 알고 있는 대장과 실제 대
장은 뭐가 다를까? 그 궁금증을 해결하려는 노력이 곧 건강한 대장을 위한
출발이기도 하다.

# 다양한 모습의 대장, 제대로 알기

대장은 우리 몸에서 소장 다음으로 길이가 긴 장기로 평균 1.5m 정도 되며, 각 부위마다 명칭, 역할이 다르며, 이상이 생긴 부위에 따라 나타나는 증상이 모두 다르다. 그래서 '대장'이라는 이름 하나로 역할과 증상을 판단하기에는 부족한 점이 많다. 대장의 구조와 각 부위가 나빠졌을 때 나타나는 증상에 대해서 자세히 알 필요가 있다.

## 대장은 어떻게 생겼나

우리의 신체 장기 중 소장 다음으로 길이가 긴 대장. 그러나 우리는 결장, 직장, 항문 등 대장의 일부를 이루고 있는 각 부분의 명칭도, 그 역할도 제대로 알지 못한다. 길이가 긴 만큼 대장은 위치별로 역할도 다르고, 이상이 생겼을 때 나타나는 증상도 다르기 때문에 무엇보다 대장의 구조와 기능을 제대로 파악해야 한다. 대장 건강을 지키기 위한 첫걸음으로 대장을 정확하게 알아보도록 하자.

주로 수분 흡수를 담당하는 대장은 맹장과 상행결장, 횡행결장, 하행결장, 에스(S)결장 그리고 직장과 항문으로 이어져 있다. 대장은 복부의 오른쪽 밑에 위치한 소장의 끝 부분에서 시작해 상복부를 가로지르고, 왼쪽 복부를 따라 아래로 내려가 에스결장과 연결된 후 대장의 끝 부분인 직장을 통해 항문으로 연결되는 소화기관의 하나다. 사람에 따라 차이가 조금 있지만 대장의 평균 길이는 1.5m이다.

대장벽은 점막층, 점막하층, 근육층, 장막층 순으로 4개의 층으로 나누어져 있다. 소장은 영양소의 흡수를 최대한 효율적으로 하기 위해 작은 돌기의 융기가 많은 반면, 대장은 수분 흡수가 주로 이루어지는 장기로 대장 점막 표면에는 융기가 없어 비교적 평편하다. 점막하층에는 섬유조직과 함께 작은 혈관, 림프관, 신경섬유 등이 자리 잡고 있다.

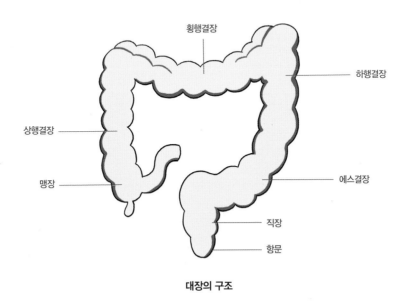

**대장의 구조**

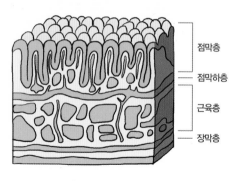

**대장벽의 단면도**

근육층은 일반적으로 장의 길이 방향으로 연결된 종주근과 장관의 원주 방향으로 감싸는 윤상근으로 구성되며, 이 두 근육의 상호작용으로 장의 움직임이 조절된다. 장막층은 대장의 가장 바깥을 감싸는데, 직장의 하부에는 장막이 없고 직장간막mesorectum이라는 조직이 있다. 대장의 점막층에는 감각신경이 없어서 대장내시경 검사를 받으면서 조직검사를 하거나 폴립(용종)을 제거할 때에는 특별한 통증을 느끼지 않지만, 장막층에는 감각신경이 있어서 대장 안에 많은 양의 공기가 투입되어 대장이 팽창하거나 갑작스런 수축에 의한 경련이 일어날 경우 통증을 느낄 수 있다.

---

**TIP 대장 속 세균**

대장에는 700가지가 넘는 세균이 살고 있다. 이 세균들 중에는 질병을 일으키는 세균도 있으며 우리 몸에 유익한 세균도 있다. 유해한 세균이 증가하면 장염이 발생하고, 유익한 세균이 늘어나면 면역기능이 강화되는 데 도움을 준다. 특히 유산균은 우리 몸에 유익한 장내 정상세균총으로, 유산균 대사과정에서 만들어지는 정장제는 인체에 유익한 영향을 주는 물질이다. 유산균은 장내 유해균 증식을 억제해서 장내 균의 균형을 맞추는 천연 항생제이기도 하다.

# 대장은 무슨 일을 하나

대장을 잘 이해하려면 먼저 소화과정에 대해 아는 것이 중요하다.

식사를 통해 체내에 들어간 음식물은 입에서 침과 섞여 부서진 후 식도를 거쳐 위로 내려간다. 위에서는 음식물을 잘게 부수어 소화과정이 쉽게 이루어지도록 준비한다. 잘게 부서진 음식물이 소장에 도착하면, 소장에서는 영양분과 비타민류 그리고 미네랄과 수분 등을 흡수한다.

이후 음식물은 훌륭한 일꾼처럼 쉼 없이 움직이는 대장으로 내려간다. 상행결장과 횡행결장에서는 수분과 영양분, 염분, 광물질 등이 흡수되고, 하행결장과 에스결장에서는 고체 형태의 대변을 만들어 보관 후에 배출한다. 이때 배설물을 일시적으로 저장한 다음 항문을 통해 배출시키는 역할을 하는 곳이 바로 직장이다.

그럼, 대장에는 어떤 내용물들이 있을까? 소화되지 않고 남은 음식물이나 수분, 전해질, 세균 그리고 가스 등이 섞여 있다. 분해되지 않고 남은 탄수화물의 일부는 대장 속에서 활동하는 세균에 의해 분해되며, 세균에 의해 분해되지 않은 나머지는 다량의 수분을 함유하고 있어서 대변의 양을 증가시키는 역할을 한다.

## ● 대장은 놀라운 흡수력을 가지고 있다

인체는 신비로움 그 자체다. 소장에서 대장으로 이어지는 그 세계만 봐도 매우 흥미롭다. 일단 대장에는 소장으로부터 음식물 찌꺼기가 하루 1.5L씩 쏟아져 들어온다. 이때 대장은 약 1.3L의 물을 흡수하고, 매일 150g의 대변을 만든다. 이렇게 소화물을 10분의 1로 줄인다고 해서 대장을 인체의 스펀지라고 부르는 것이다.

입으로 들어간 음식물이 위액과 소장 및 췌장의 소화액에 의해 멀건 죽이 되어 대장으로 향한다. 이때 대장은 스펀지처럼 물을 빨아들여 소화된 음식물을 단단한 변으로 만든다. 이런 대장의 기능을 크게 세 부분으로 나눠 생각할 수 있다. 맹장과 상행결장, 횡행결장에서는 흡수와 발효가 일어나고, 하행결장, 에스결장은 단단한 변을 만들어서 저장하는 역할을 한다. 마지막으로 직장은 변의 최종 저장소로, 원하는 시기에 변을 배출하는 역할을 한다. 이렇게 음식물이 변으로 나오기까지 걸리는 시간은 사람마다 다르지만 보통 하루에서 나흘 이상 걸리는데, 이 시간의 대부분이 대장을 거치는 시간이다.

### ◉ 대장은 유익한 균을 가지고 있다

대장은 소장만큼 영양 흡수에 관여하지 않기 때문에 벽이 얇으며, 소장처럼 작은 돌기인 융모가 없다. 대신 대장에는 유산균을 비롯해 유익하거나 유해한 수백 종류의 균들이 살고 있다. 건조시킨 대변 무게의 약 3분의 1이 미생물일 정도로 대장에는 많은 미생물이 살고 있다. 이 중에는 유익한 균도 많이 포함되어 있다. 무분별한 항생제 복용을 삼가야 하는 이유 중의 하나가 바로 유익한 미생물에 영향을 줄 수 있기 때문이다.

대장은 물, 나트륨이나 칼륨 등을 흡수할
뿐만 아니라 대장 내 세균의 도움을 받아 변
에 남아 있는 탄수화물도 발효시
켜 지방산으로 바꿔 흡수
하기도 한다. 이때,
비타민 K와 같은 유
익한 물질이 형성되
고 흡수된다. 또한
대장에서 단백질 소화
물이 발효되기도 하는데,
이렇게 발효된 가스에 의해 변
의 특징적인 냄새가 생성되고 몸 밖으로 방귀가 배출되는 것이다.

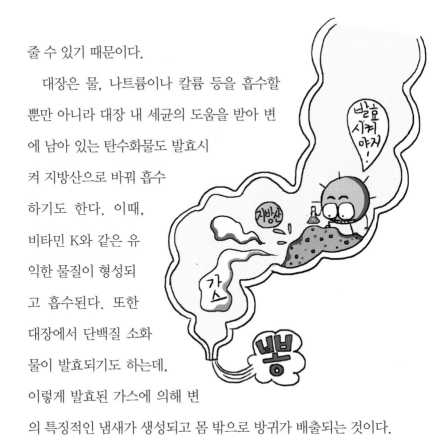

> **TIP 방귀와 냄새**
>
> 방귀는 우리가 음식을 먹으며 함께 삼킨 공기와 장내에서 발생한 가스에 의해 생성된다. 방귀는 대장
> 에서 분해되는 음식물에 따라, 그리고 사람마다 양과 냄새가 다르다. 방귀를 줄이려면 금연과 함께 껌
> 이나 사탕 등을 먹지 않는 것이 좋다. 밀, 귀리, 고구마, 옥수수나 이들로 만든 가루음식도 장내 가스를
> 많이 발생시킨다. 나이 들어서 우유를 먹으면 가스가 많이 생기는데, 이는 유당 분해효소가 감소하기
> 때문이다. 이런 경우 발효된 유산균을 먹으면 장내 환경을 개선시켜 장내 가스를 줄일 수 있다. 방귀
> 가 자주 나오고 냄새가 날 때 질환을 염려하는 경우가 많은데, 실제로는 질환과 연관되어 있을 가능성
> 은 매우 드물다.

## ● 대장은 배설 전 음식물의 종착역이다

우리가 섭취한 음식물은 입과 식도, 위, 소장을 차례로 지나면서 소화 및 영양분 흡수과정을 거친다. 흡수되고 남은 음식물은 가장 마지막에 대장에 머물게 된다. 그중 종착역인 직장은 그 부피가 최대 400ml이다. 배변을 최대한 참을 수 있는 용적이 약 400ml라는 말이기도 하다. 일반적으로 용적의 절반 정도 변이 차게 되면 변을 보고 싶다는 생각이 들게 된다. 이런 이유 때문에 직장 수술로 직장의 크기가 줄어들게 된 경우, 수술 후에 자주 변을 보고 싶다는 생각이 들게 된다. 변을 참을 수 있는 한계도 줄어들어 자주 화장실에 가게 되는 것이다.

# 대장이 나빠지면 어떤 증상이 나타나나

대장에 이상이 생기면 다양한 증상이 나타나는데, 가장 흔하게는 배가 아프거나 직장 또는 항문에 통증이 나타날 수 있다. 또 배가 부은 느낌이나 실제로 붓는 증상이 나타나기도 하고, 변이 항문을 통과해 나오는 데 있어서 힘이 많이 드는 현상이 나타나기도 한다.

흔하게 나타나는 증상으로 변비와 설사가 있는데, 변비는 스트레스나 감정적 긴장과 압박의 조짐에 대한 반응으로 작고 덩어리 진대변이 나오기도 하고 때로는 며칠씩 변을 보지 못하는 경우도 있다. 반면 너무 자주 변을 보는 증상이 나타나기도 하며, 무른 변을 보거나 때로 물변을 보기도 한다. 경우에 따라서 며칠씩 설사를 하거나 오랫동안 설사 증상이 나타나기도 한다. 그리고 변을 보고 난 뒤에도 완전히 비워지지 않은 느낌이 들 때도 있다. 간혹 대변에 피가 섞여 나오기도 하는 등의 증상들이 나타난다.

이런 증상들이 나타났다고 해서 모두 대장암은 아니다. 이런 증상은 대개 며칠 지나면 사라지는 편이다. 그러나 증상이 오래간다면 전문의에게 검사를 받는 게 중요하다.

●변비 변의 양이 지나치게 적고 장내 내용물의 움직임이 느린 증상을 말한다. 간혹 염소의 변처럼 하나하나 분리되고 딱딱한 변을 보는 경우와, 이런 변들이 뭉쳐진 변을 보는 경우는 변비가 아니라고 생각하기도 한다. 그러나 이런 경우도 변비라고 판단할 수 있다. 며칠 만에 변을 보거나, 작은 변을 하루에 여러 번 보는 경우도 설사라기보다는 오히려 변비로 인한 증상으로 볼 수 있다. 변비는 남성보다 여성에게 흔하며, 여성의 경우 임신 기간이나 월경 바로 전에 심해진다. 물을 충분히 섭취하고 신선한 채소나 과일을 꾸준히 섭취하며, 적당한 운동과 금주, 금연을 병행하는 등 생활습관이나 식습관을 개선하면 이런 증상에서 벗어날 수 있다.

●설사 죽이나 물 같은 상태의 변을 보는 경우를 설사라고 한

다. 물처럼 나오기 때문에 화장실에 자주 가게 되지만 대부분의 설사 증세는 별다른 처방 없이도 안정된다. 만약 설사가 되풀이된다면 과민성 장증후군이 원인일 때가 많다.

●과민성 장증후군 특별한 구조적 이상 없이 장이 지속적으로 제 기능을 발휘하지 못해 몸에 기능 이상이 나타나는 경우를 말하는데, 주로 장이 민감해져서 나타나며 악순환된다. 또한 스트레스, 불안 등이 원인이 되기도 한다.

과민성 장증후군은 매번 다른 부위에서 통증을 느낄 수도 있고, 변을 보면 통증이 가벼워지는 점이 특징이다. 대변에 피가 섞여 나오거나 체중감소 또는 구토 등의 증상이 있다면 다른 원인, 예컨대 암을 의심해봐야 하지만, 그렇지 않다면 과민성 장증후군인 경우가 많다. 과민성 장증후군은 식단을 바꾼다든지, 특별한 음식이나 음료를 절제하면 완화되기도 한다. 예들 들면 커피를 조절하면 낫는 수도 있으며, 경우에 따라 유제품에 이상 반응을 보이기도하여 유제품을 조절하면 증상이 호전되기도 한다. 이렇듯 과민성 장증후군은 음식에 특별한 반응을 보이는데, 어떤 음식이 원인인지 규명하기가 복잡하므로 의사와 상담을 통해 해결 방안을 찾는 것이 중요하다.

●염증성 장질환 염증성 장질환에는 대표적으로 궤양성 대장염과 크론병이 있는데, 지금까지 모두 병의 원인이 알려지지 않았다. 궤양성 대장염이란 대장에 만성적으로 염증이 생기는

것으로 직장에 생기는 염증이 가장 흔하며, 심한 경우에는 대장 전체에 염증이 퍼져 있는 경우도 있다. 이와 달리 크론병이란 대장뿐만 아니라 구강부터 항문까지 소화기관 어디에든지 염증이 생길 수 있는 질환으로, 협착, 누공, 복강 내 농양 또는 천공과 같은 심한 합병증의 빈도가 더 잦아 적극적인 치료가 필요한 질환이다.

궤양성 대장염과 크론병은 종종 비슷한 양상을 보인다. 설사 혹은 점액이 섞인 변을 보게 되는데, 궤양성 대장염 환자의 경우 직장에 염증이 동반되므로 지속적인 혈성 설사를 경험할 수도 있다. 크론병에서도 직장 출혈이 나타나지만 대개는 심하지 않다. 복통은 크론병에서 더 심한 것으로 알려져 있으며, 급성의 궤양성 대장염 환자들도 복통이 있을 수 있으나 크론병에서 나타나는 복통만큼 심하지는 않다.

두 질환의 차이점으로 항문 질환을 들 수 있다. 크론병 환자의 경우 종종 항문에만 증상이 나타나는 경우가 있는데, 치루와 같은 항문 질환은 흔하지만 직장에는 병이 침범하는 경우는 드물다. 반대로 궤양성 대장염에서는 염증의 직장 침범은 거의 100%이지만 항문 증상은 매우 드물게 나타난다.

궤양성 대장염은 대장암으로 진행될 가능성이 높기 때문에 주의해야 한다. 궤양성 대장염을 오래 앓았거나, 염증이 대장 전체에 퍼져 있고 지속적으로 활동하는 경우에 대장암 발병의 위험도는 높아진다. 만약 궤양성 대장염을 25년간 앓았다면 25%의 대장암 발병률을 보이고, 30년이면 35%, 35년이면 45% 그리고 40년에 65%의 높은 발병률을 보이고 있다. 궤양성 대장염에서 발생한 대장암은 대개 나쁜 분화도를 보이며 매우 진행이 빠른 종양인 경우가 많다. 만약 궤양성 대장염 환자로 진단받았는데 대장의 내경이 좁아지는 대장 협착 증상이 나타났다면 다른 원인이 확인되기 전까지는 대장암을 의심할 수도 있다.

●그 외 질병 최근 우리나라에서 식생활 변화와 함께 증가하고 있는 대장 질환의 하나로 게실 질환이 있다. 게실 질환은 설탕과 육류 섭취가 늘고 섬유소 섭취가 감소하면서 발생하기 때문에 식생활을 조절하면 개선되기도 한다. 서구에서는 매우 흔한 병으로, 미국인의 경우 80세 성인의 최소 3분의 2 정도가 앓고 있다고 보고된다.

대장 게실이란, 대장벽에 생기는 작은 주머니를 말한다. 대장벽의 약한 부위에 점막 및 점막하층이 탈출해서 만들어지며, 증상이 없는 경우가 대부분이어서 대장내시경 검사에서 우연히 발견된다. 이 질환은 암으로 발전하지도 않으며, 수술이 필요한 경우도 매우 드물다.

다만, 게실 주머니에 대변이 고여서 염증과 같은 증상이 발생하는 경우에는 치료가 필요하다. 이런 경우를 게실염이라고 하는데, 주요 증상으로는 복부팽만 및 통증이 있으며, 장 마비나 장폐색이 동반되기도 한다. 게실염을 그대로 두면 합병증이 올 수 있는데, 특히 게실이 터지면서 대장 내의 변이 복강 내로 유출되어 복막염이 발생하면 매우 위급한 상황이다.

가끔 다른 질환, 예컨대 과민성 장증후군이나 대장암 그리고 궤양성 대장염, 크론병 같은 염증성 장질환과 게실염을 구별하기 어려울 때도 있다.

그러나 게실염의 경우 쉽게 호전될 수 있다. 급성 게실염의 경우 고열이나 백혈구 수의 급격한 증가, 빈맥, 저혈압 등의 전신적인 증상은 물론 증후가 없는 경우에도 대개 장을 쉬게 하고 항생제 치료를 하면 호전된다. 심한 백혈구 증가증이나 고열과 빈맥 그리고 저혈압 등이 동반되었다면 게실염이 상당히 진행된 상태이므로 입원해서 치료를 받는 게 현명하다.

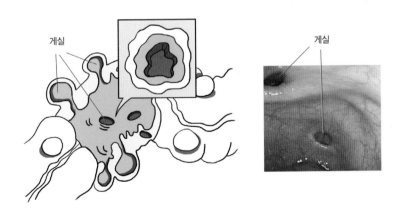

게실

게실

# 대장암 바로알기

우리나라는 서구에 비해 대장암의 발생 비율이 낮아서 그동안 대장암은 서구에서 발생하는 암으로 알려져 왔다. 그러나 현대에 이르러 식습관의 변화 등 환경적 요인이 서구화되면서 우리나라의 대장암 발병률이 매우 빠르게 증가하고 있다. 특히, 위암에 이어 남성들을 위협하는 주요 암이기 때문에 대장암에 대해 바로 알 필요가 있다.

## 급속도로 늘고 있는 대장암

최근에 우리나라는 식생활의 서구화와 인구의 고령화 등으로 인해 대장암의 발생 빈도가 증가하고 있는 추세이다.

국가암정보센터 통계 자료에 의하면 우리나라에서 2009년 한 해 동안 새롭게 암으로 진단받은 암 발생자는 19만 2천여 명(남성 9만 9천여 명, 여성 9만 3천여 명)이다. 그중 대장암 환자는 2만 5천여 명으로 전체 암 발생의 13.0%로 3위를 차지하였다. 이는 2004년도에 대장암 발생률이 9.9%로 4위였던 것과 비교하여 가장 빠른 속도로 늘고 있는 암으로, 향후에도 지속적으로 증가할 것으로 예상된다. 성

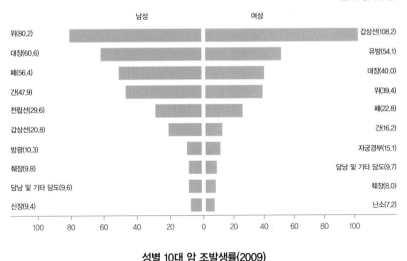

(단위 : 명/10만 명)

| | 남성 | | 여성 | |
|---|---|---|---|---|
| 위(80.2) | | | | 갑상선(108.2) |
| 대장(60.6) | | | | 유방(54.1) |
| 폐(56.4) | | | | 대장(40.0) |
| 간(47.9) | | | | 위(39.4) |
| 전립선(29.6) | | | | 폐(22.8) |
| 갑상선(20.8) | | | | 간(16.2) |
| 방광(10.3) | | | | 자궁경부(15.1) |
| 췌장(9.8) | | | | 담낭 및 기타 담도(9.7) |
| 담낭 및 기타 담도(9.6) | | | | 췌장(8.0) |
| 신장(9.4) | | | | 난소(7.2) |

**성별 10대 암 조발생률(2009)**

별에 따른 조발생률에 있어서도 2009년 조사 결과를 보면, 남성 10만 명당 대장암 발생률이 60.6명으로 2위, 여성의 경우에도 10만 명당 대장암 발생률이 40.0명으로 3위를 차지하며 꾸준히 늘어나고 있는 추세이다.

세계보건기구WHO 산하 국제암연구소IARC에서 발표한 연구조사 결과에 따르면, 세계 184개국을 대상으로 '세계 대장암 발병 현황'을 분석한 결과, 한국 남성의 대장암 발병률이 10만 명당 46.92명으로 슬로바키아(60.62명), 헝가리(56.39명), 체코(54.39명)에 이어 세계 4위로 나타났다. 이는 아시아 국가 중 가장 높은 수치로, 18위인 일본(41.66명)은 물론이고 미국(34.12명, 28위)과 캐나다(45.40명, 9위) 등 북미 국가나 영국(37.28명, 26위)과 독일(45.20명, 10위) 등 유럽 대부

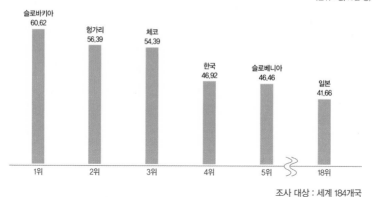

슬로바키아
60.62

헝가리
56.39

체코
54.39

한국
46.92

슬로베니아
46.46

일본
41.66

1위  2위  3위  4위  5위  18위

조사 대상 : 세계 184개국

**세계 대장암 발병 현황(2008)**

분 국가를 크게 앞질렀다.

급속도로 늘고 있는 대장암은 식습관과 생활습관이 직접 반영되는 대표적인 암이다. 따라서 식습관과 생활습관을 바꾸는 것만으로도 예방에 큰 도움이 된다. 학계에서는 한국 남성의 높은 음주·흡연율, 육류 섭취 증가, 운동 부족, 과도한 업무 스트레스 등이 복합되어 대장암의 발생에 큰 영향을 미치는 것으로 보고 있다.

그러나 암은 더 이상 불치의 병이 아니다. 빠르게 증가하는 대장암 발병률만큼 암의 5년 생존율 역시 증가하고 있다는 사실이 이를 증명해주고 있다. 다음의 도표는 2009년 중앙암등록본부의 통계 자료로 전체 암 중에서 주요 암별 생존율을 나타낸 것이다. 대장암의 경우 1993~95년에 발생한 대장암에 비해 2006~09년에 발생한 대장암의 생존율이 54.8%에서 71.3%로 향상된 것을 알 수 있다.

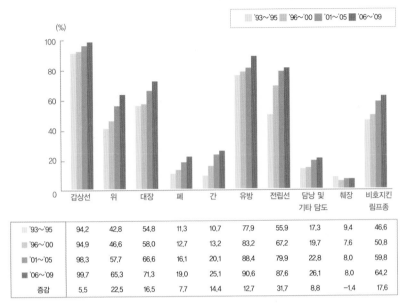

| | '93~'95 | '96~'00 | '01~'05 | '06~'09 |

| | 갑상선 | 위 | 대장 | 폐 | 간 | 유방 | 전립선 | 담낭 및 기타 담도 | 췌장 | 비호지킨 림프종 |
|---|---|---|---|---|---|---|---|---|---|---|
| '93~'95 | 94.2 | 42.8 | 54.8 | 11.3 | 10.7 | 77.9 | 55.9 | 17.3 | 9.4 | 46.6 |
| '96~'00 | 94.9 | 46.6 | 58.0 | 12.7 | 13.2 | 83.2 | 67.2 | 19.7 | 7.6 | 50.8 |
| '01~'05 | 98.3 | 57.7 | 66.6 | 16.1 | 20.1 | 88.4 | 79.9 | 22.8 | 8.0 | 59.8 |
| '06~'09 | 99.7 | 65.3 | 71.3 | 19.0 | 25.1 | 90.6 | 87.6 | 26.1 | 8.0 | 64.2 |
| 증감 | 5.5 | 22.5 | 16.5 | 7.7 | 14.4 | 12.7 | 31.7 | 8.8 | -1.4 | 17.6 |

주요 암의 5년 생존율 추이 : 남녀 전체(2009)

이렇게 생존율이 증가하는 데는 치료 방법의 발전뿐만 아니라, 건강검진 목적의 대장내시경 검사 증가와 골드리본 캠페인과 같은 대장암 예방활동에 의한 조기 암 진단의 증가 등이 영향을 미친 것으로 추정된다.

---

**TIP 골드리본 캠페인**

대한대장항문학회가 매년 시행하고 있는 대국민 캠페인으로, 최근 발생률이 급증하고 있는 대장암의 예방과 올바른 이해를 위한 운동이다. 골드리본 캠페인의 궁극적인 목적은 대장암 발생으로 인한 사회적 손실을 막고 대장암에 대한 일반인들의 관심을 높이고 조기 검진을 통한 예방의 중요성을 알리기 위한 것이다.

# 해가 되는 식습관 vs. 도움이 되는 식습관

한국 남성이 여성보다 더 높은 대장암 발생률을 보이고 있는데, 이는 남성이 대장암 발병 위험 환경에 더 많이 노출되어 있기 때문이다. 대장암 발병에 식습관이 직접적인 원인이라는 점에서 보면, 남성이 여성에 비해 술자리가 2배 정도 많으며 회식 자리에서는 물론 평소 식습관에 있어서도 발병 원인을 높이는 식사를 하는 경향이 있다. 그렇다면, 대장암 발생의 위험성을 높이는 식습관과 대장암 예방에 도움이 되는 식습관에는 어떤 것들이 있을까.

## ◎ 유해 세균을 만드는 불규칙한 식습관

현대인들은 보통 입맛이 없다는 이유로 아침을 부실하게 먹고 점심은 짧은 시간에 해치우면서 저녁이나 야식은 과하게 먹는 편이다. 여기에 술까지 마시면 하루에 섭취하는 총 칼로리도 늘어난다. 그러나 무엇보다 나쁜 건 불규칙한 식습관으로 인해 장내에 부패물질이 많이 발생된다는 점이다. 자신이 섭취할 수 있는 하루 총 칼로리를 넘지 않도록 유의하고, 만약 야식을 먹었다면 충분히 소화시킨 후에 잠들어야 대장에 유해 세균이 생기지 않는다.

## ◎ 대장 점막을 자극하는 고칼로리 음식

잘 먹는 일도 중요하지만, 그렇다고 칼로리가 높은 음식을 많이 섭취하는 것은 바람직하지 않다. 특히 튀기거나 구운 음식, 바비큐한 음식은 대장암 발생 위험성을 높인다. 칼로리가 높은 음식은 담즙산의 분비를 증가시켜 대장 점막을 자극할 뿐만 아니라 장내 세균에 의해 발암물질로 바뀌게 된다. 특히 트랜스지방산이 많이 함유된음식의 섭취가 대장암 발생의 위험을 증가시킨다고 보고되고 있다. 트랜스지방산이 많은 음식으로는 팝콘, 감자튀김, 라면, 냉동 피자, 도넛 등 각종 튀긴 음식들이 있다.

## ● 발암물질을 만들어내는 붉은색 고기와 육가공품

육류 섭취량과 대장암 위험도와의 관계에 대해 많은 연구가 있다. 육류 중에서도 붉은색 고기의 섭취가 대장암의 위험도를 증가시킨다고 알려져 있는데, 붉은색 고기란 소고기, 돼지고기, 양고기와 같이 붉고 어두운 색의 고기를 말한다. 이런 붉은색 고기와 함께 소시지, 햄, 베이컨 등의 육가공품 섭취가 대장암 발생 위험을 높이고 것으로 확인되고 있다.

이들 음식은 소화과정에서 발암물질인 니트로소화합물을 생성하고, 육류의 피 속에 함유된 철이 소화되면서 발암물질인 철 이온으로 바뀌어서 대장암 발병 위험을 높이는 것으로 보인다. 또한 담즙산이 동물성 지방을 소화시키는 과정에서 발암물질인 2차 담즙산으로 바뀌고 장에 오랫동안 머물러 장 점막세포의 손상을 초래하는데, 이러한 원인도 대장암 발병률을 높인다.

## ◉ 대장암의 위험도를 낮추는 섬유소

대장암 발병률이 증가하는 이유 중의 하나로 현대인이 섬유소가 풍부한 음식을 섭취하지 않는 것이 원인이라는 지적이 많다. 많은 연구보고에 의하면 섬유소가 풍부한 음식을 먹었을 때 대장암 발병률이 낮아지는 것으로 나타났다. 이는 섬유소가 대장 내용물을 희석시키고 장 통과 시간transit time을 단축시키며, 대변 부피를 증가시키는 작용을 하기 때문이다.

섬유소는 쉽게 포만감을 느끼게 만들어 식사량을 감소시키고, 결국 총 섭취 칼로리를 낮춘다. 섬유소 섭취를 위해 채소와 과일을 하루 200g 이상 섭취하는 것이 좋은데, 이는 야구공 크기의 과일 2개나 생채소 2컵 또는 나물 1컵 정도의 분량이다. 특히 색이 진한 과일이나 채소에는 항산화물질이 풍부해 발암물질 생성을 억제하기도 한다.

## ◉ 독성물질 막는 칼슘, 소량으로도 충분한 미네랄

칼슘은 담즙산이나 지방산이 장에서 독성물질을 만드는 것을 막는 역할을 한다. 그렇기 때문에 칼슘의 섭취가 대장암 발생을 감소시킨다고 보고 있다. 그러나 효과적인 칼슘 섭취량에 대해서는 아직 연구가 필요한 단계다. 셀레니움 같은 미네랄도 대장암 예방에 효과가 있다고 알려져 있다. 이런 성분들은 매우 소량만 필요하기 때문에 편식하지 않고 균형 잡힌 식사를 하기만 하면 필요한 만큼 섭취가 되므로 일부러 칼슘이나 셀레니움 등 대장암 예방에 좋다는 알약을 섭취하지 않아도 된다. 셀레니움이 풍부한 식품으로는 내장 고기(간, 콩팥), 해산물, 통밀빵 등이 있다.


# 대장암을 부르는 잘못된 생활습관

식습관과 함께 대장암 발병을 높이는 또 다른 요인, 생활습관을 살펴보자. 잦은 흡연과 음주, 대장에 무리를 주는 배변습관 등 우리가 가볍게 여기는 습관들이 알게 모르게 대장을 힘들게 하고 있다. 대장 건강을 지키고 대장암을 예방하기 위해 어떤 생활습관을 들여야 할까.

### ● 대장 건강을 막는 아침 배변 욕구 참기

우리 몸은 아침식사 후에 가장 강하게 배변 욕구가 일어난다. 그런데 현대인들은 아침식사 후 배변하는 습관에서 멀어지고 있는 편이다. 대부분 바쁘다는 이유로 아침의 배변 욕구를 참고 지나가는데, 이럴 경우 배변 욕구가 억제되면서 욕구 자체를 느낄 수 없는 지경에 이르기도 한다. 규칙적으로 아침식사 후 배변하는 습관을 길러 대장이 건강하도록 하는 게 중요하다.

## ◉ 대장 및 항문에 무리를 주는 긴 배변 시간

배변 시 변기에 오래 앉아 있는 것이 습관화된 사람이 많다. 그러나 최대 10분을 넘지 않는 것이 좋다. 식습관 개선을 통해 올바른 배변습관을 갖는 게 중요하고, 배변 시간을 줄이기 위해 잡지나 신문을 읽는 습관도 버리는 게 좋다. 변기에 오래 앉아 있으면 치핵이 심해질 수 있고, 오랜 기간 이러한 습관을 방치하면 드물지만 직장탈출증이 발생하여 직장에 궤양이 발생하거나 점막이 부으면서 혈변, 잔변감(배변 후 변이 남은 느낌), 대변 배출장애 등의 증상을 유발할 수 있다.

## ◉ 대장암 발생 빈도를 높이는 흡연과 음주

흡연은 각종 유해물질을 포함하고 있으며 여러 암을 발생시키는 요인이기도 하다. 암의 발병률을 낮추기 위해서이기도 하지만 우선 건강한 삶을 살기 위해 금연은 필수라고 생각해야 한다. 최근 한 대규모 연구에서 평생 흡연과 대장암 발생의 상관관계가 보고되었는데 18만 명의 건강한 성인 남성을 13년 동안 추적 조사한 결과, 비흡연자에 비해 흡연자의 대장암 발생 위험이 27% 높았고, 흡연 기간이 50년 이상 되는 경우 위험도가 38% 높았다. 국내 연구에서도 하루에 담배를 20개비 이상 피우는 흡연자들이 대장암 발생 위험도가 비흡연자보다 41% 높았다.

세계보건기구에서 발표한 적정 음주량은, 건강하고 간에 문제가 없는 사람을 기준으로 성인 남자가 하루 소주 4잔 이내이며, 여자는 하루 소주 2잔 이내이다. 맥주는 60kg의 남성의 경우 하루 1병까지 가능하다. 다만 적은 양이라도 매일 마시는 것이 건강에 더 해로우며 알코올중독 발생을 더 높이기 때문에 술을 마신 다음에는 꼭 마시지 않는 날이 있어야 한다. 간이나 건강에 문제가 있거나 몸무게가 적은 경우에도 적정 음주량은 감소한다.

과도한 음주는 대장 점막에 자극과 손상을 주고 대장 세포의 분화를 유도·증식시키며, 적당량의 음주일지라도 대장암의 위험을 증가시킨다고 알려져 있다. 국민건강보험 가입자 중 암 건강검진을 받은 사람을 대상으로 실시한 국내 연구 결과, 소주 1병 이상(7잔)을 주

3회 이상 마시는 경우는 그렇지 않은 건강검진 수검자들보다 대장암 발생 위험도가 14배 더 높았고, 특히 남자는 7배, 여자는 21배 더 높았다.

## ● 장운동 기회를 줄이는 운동 부족

평일에는 일어나면 출근하기 바쁘고 주말에는 쉬기 바쁜 현대인. 그래서 운동할 시간이 부족하다. 하지만 운동은 장의 움직임을 촉진해서 변비를 예방하고, 면역체계를 강화해 인슐린 수치를 낮춰주는 등의 효과를 볼 수 있어 대장암 예방에 효과적이다. 운동할 시간이 없다면 출퇴근 시간에 대중교통을 이용하고 엘리베이터보다는 계단을 이용해 신체활동을 늘리는 식으로 주변에서 쉽게 운동할 수 있는 방법을 찾는 것이 중요하다.

최근 세계암연구재단World Cancer Research Fund과 미국 암연구소 American Institute for Cancer Research는 기존의 연구 결과를 종합하여 대장암의 발생 원인을 다음의 표와 같이 정리하였다. 생활습관과 관련된 위험요인들에 대해 운동은 대장암 발생 위험을 낮추고, 붉은색

| 18~64세 | 65세 이상 |
|---|---|
| • 1주일에 최소 150분 이상 중강도의 유산소운동 또는 75분 이상 격렬한 유산소운동<br>• 유산소운동은 한 번 시작하면 최소 10분 이상 지속<br>• 근력운동은 1주일에 2일 이상 | • 1주일에 3일 이상 유산소운동<br>• 1주일에 2일 이상 근력운동<br>• 낙상 방지를 위한 균형감각운동, 유연성 기르기 |

**세계보건기구에서 제정한 운동 권장 지침**

| 근거 수준 | | 위험 감소 | 위험 증가 |
|---|---|---|---|
| A | 설득력 있는 정도 | 운동 | 붉은색 고기, 육가공품, 음주(남자), 비만 |
| B | 가능성 있는 수준 | 섬유소, 마늘, 우유, 칼슘 | 음주(여자) |
| C | 제한적으로 제안할 만한 수준 | 과일, 어류, 채소, 음식을 통한 엽산 · 셀레늄 · 비타민 D 섭취 | 철분, 치즈, 설탕, 동물성 지방 섭취 |

자료 : 세계암연구재단, 미국 암연구소, 2007

**생활습관과 관련된 대장암 위험요인**

고기와 육가공품, 음주 그리고 비만은 발생 위험을 높인다는 근거를 가지고 있다.

## 항문 질환과 대장암

간혹 환자들이 대장암으로 진행되지 않을까 의심하는 질환으로 변비와 치질이 있다. 하지만 변비가 있다고 해서 무조건 대장암을 떠올리며 걱정할 필요는 없다. 아직까지 변비와 대장암은 상관관계가 없는 것으로 알려져 있다. 다만 대장암의 증상 중의 하나로 변비가 나타나기도 한다. 대장암의 경우 변비 증상과 함께 변의 굵기가 갑자기 가늘어진다거나 배변 시 출혈이 동반된다거나 체중이 급격히 감소하는 경우 등 특징적인 증상이 동반되는 경우가 많다.

치질 역시 대장암의 직접적인 원인은 아니다. 치질을 오랫동안 방치한다고 해서 직장암이 되는 것은 아니다. 치질은 항문과 항문 주위에 생기는 질병을 말하며, 치핵, 치루, 치열을 포함하는 질병을 일컫는다.

배변 시 변기에 선홍색 피가 고이면서 항문 밖으로 뭔가 만져지는 증상을 치핵이라고 한다. 이 증상 외에도 항문 주변의 가려움증, 항문의 불편감과 통증이 있을 수 있다. 치질이라고 생각해 병원을 찾는 환자의 대부분은 치핵 환자다.

배변 시 출혈과 점막 탈출 증상이 있는 치핵은 직장암의 증상과 비슷해서 대장암을 걱정하는 환자들이 있다. 이와 반대로 변비 증상과 함께 혈변이 나오는 것을 치핵 증상 정도로만 여겨 대수롭지 않게 생각하다가 대장암으로 확인되기도 한다. 실제로 대장암 환자 중 일부는 치핵인 줄 알고 치핵 절제를 위해 병원을 찾았다가 대장암으로 진단을 받는 경우도 있다.

매우 드물기는 하지만 항문 질환 중 치루는 오랫동안 치료하지 않고 방치하면 암으로 발전할 수 있다. 항문 치루는 항문 안쪽과 항문

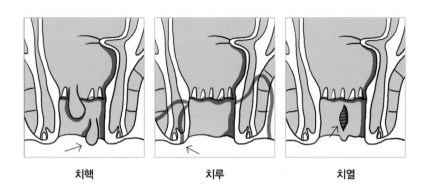

치핵                  치루                  치열

바깥쪽 피부 사이에 터널이 생기는 것으로, 그 터널에 염증이 생겨서 농양을 유발한다. 치루는 남성이 여성보다 더 많이 발

생하는 것으로 알려져 있으며, 특별한 예방법이 없고 1차적 치료법으로 수술을 권장한다. 치루는 가능한 초기에 치료를 받는 것이 추천되는데, 이는 치료가 늦어질수록 복잡치루로 진행되며 수술의 범위도 커지기 때문이다.

치열은 여성에게 더 많이 생긴다. 변비나 심한 설사 등으로 항문이 찢어지거나 궤양이 형성된 상태로, 항문 통증과 출혈 증상이 있다. 항문은 감각이 매우 예민하기 때문에 치열이 생기면 통증이 심할 수 있으며 만성화될 경우 수술적 치료를 요하기도 한다.


## 대변으로 장 건강 알아보기


대변 양상의 변화가 대장의 이상을 간접적으로 알려주기도 한다. 배변 후 자신의 대변을 살펴보는 습관을 들이면 보다 빨리 대장의 이상을 발견할 수도 있다.

먼저 대변의 색깔을 살핀다. 대변의 정상적인 색깔은 황색에서 갈색이라고 보면 된다. 탄수화물이 많은 음식을 먹으면 황색에 가깝

고, 고기 등 단백질이 많은 음식을 먹으면 갈색에 가깝게 된다. 색깔을 살핀 다음에는 변의 상태를 점검한다. 설사나 변비, 변 굵기에 변화가 생기는지를 살피는 것이다. 그다음으로 배변습관의 변화가 없는지를 살핀다. 예전과 다른 배변습관이 생겼다면 대장 건강에 이상이 있다는 말이다.

대장의 질환을 의심해볼 만한 배변습관은 다음과 같다.

● 갑자기 변보기가 힘들거나 변보는 횟수가 감소할 때 섭취 음식이나 운동량의 변화, 약물을 복용하는 게 아님에도 변보기가 힘들어지고 횟수가 줄어든다면 대장 전반에 문제가 있다는 신호다.

● 설사와 변비 대장암으로 인해 장이 거의 막힌 경우 물기가 많은 가는 변만 통과할 수 있어 설사 증세로 보일 수 있으며, 심한 경우에는 변이 통과하지 못해 변비로 오해하는 수도 생긴다.

● 잔변감 직장암의 경우 암 덩어리로 인해 잔변감이 생긴다. 치질 같은 항문 질환에서도 잔변감이 나타난다.

● 검붉은 혈변 변의 색깔은 먹은 음식의 종류나 복용하는 약의 종류에 따라 변할 수 있다. 특별한 원인 없이 검붉은 혈변이 나온다면 대장암을 의심해야 한다.

● 점액변 직장염이나 항문염 그리고 큰 폴립이 있을 경우 점액변이 나온다. 점액과 함께 고름이나 혈액이 보인다면 염증

성 장질환이거나 대장암을 의심해야 한다.

●가늘어진 변 변이 지속적으로 가늘고 잔변감이 있다면 대장
내시경 검사를 받아보는 게 좋다. 좌측대장암일 경우 2~3일
간격으로 설사와 함께 잔변감이 나타나고 변이 가늘어지기도
한다.

●악취 직장암이 진행되면 점막이 파여 궤양이 나타나는데, 이
궤양 부위가 썩고 떨어져 나와 변에서 매우 고약한 냄새가 날
수 있다.

이 같은 증상들이 나타나면 반드시 전문의와 상담하는 것이 좋다.

# 병상에서 일어나는 것,
# 그 자체가 가치 있는 일이다

### 한태진(63세, 남, 교수)

2004년 12월 말, 11.7g/dL이던 혈색소 수치가 2006년 9월엔 7.7g/dL로 극심한 빈혈이 나타났다. 결국 내시경 검사를 받았고 암이라는 진단을 받았다.

"암이네요."

위는 깨끗했고, 7~8개의 폴립을 눈으로 확인한 끝에 대장의 상행결장 끝 쪽을 비집고 들어가던 내시경 렌즈를 멈추며 같은 대학 내시경실의 김 교수가 말했다.

예쁜 선홍색 대장 터널 막장 끝이 검붉은 바위덩이로 막혀 있었다. 아니 검붉은 장미 한 송이가 피어 있었다. 내시경 끝을 주시하던 나는 처음으로 암을 보았다. 암은 심술궂은 혹부리 영감의 혹처럼 생긴 줄로 알았는데, 생각보다 예쁘게 생겼다. 그날 종양내과 신 교수는 위로의 말과 함께 신경안정제를 1통 처방해줬다.

모교인 신촌 세브란스병원 김남규 박사의 집도를 받았다. 2006년 10월 26일, 병기는 '3기'라고 했다. 수술 후 종양내과 노 박사의 항암약물치료가 시작되었다.

6개월간의 항암약물치료를 받으며 내가 가장 힘들었던 건, 밥 냄새를 맡는 일이었다. 따뜻한 밥 냄새가 그토록 역겨울까? 1박 2일 동안 항암약물치료를 받고 나면 그렇게 밥 냄새가 역겨울 수 없었다. 그래도 암을 이겨내기 위해 병원에서도 집에서도 밥을 먹었다.

항암약물치료가 끝난 후 더 이상의 약이나 처방은 없었다. 술과 담배를 끊고, 식이요법과 운동을 하고, 스트레스 없이 생활하다 5년 동안 6개월에 한 번씩 이상 여부를 확인하여 이상이 없으면 완치란다. 그렇게 세상에 던져졌다. 당연히 술과 담배는 끊었다. 그리고 내 몸에 맞는 식단을 찾기 위해 여러 차례 시도했고, 결국 내 몸에 맞는 식단을 찾았다. 나중에 식단을 짜고 보니 대장암에 좋다는 섬유소와 항산화 물질들이 풍부한 식품들이었다.

투병을 하는 동안 운동을 꾸준히 했고, 동네 주민자치위원회 고문, 어린이 후원, 장학사업 등에 참여하면서 암은 오히려 내게 휴식을 주었다는 생각이 들었다. 평소에 미처 생각하지 못했고 해볼 수 없었던 일들을 가능하게 하여 삶을 다소 의미 있게 해준 것이다. 그렇게 5년이 지났다.

마지막 검사, 혈액검사와 PET- CT. 2011년 11월 12일에 주치의 김 박사의 완치 악수를 받았다.

그 후 같은 병동에서 지내며 암 투병을 했던 사람들과 소식을 나누게 되었다. 같이 투병생활을 했던 환자들 모두 완치 판정을 받았다는 기분 좋은 소식이었다. 그러나 완치 통보를 받고 생활하다가 2년 후 재발되어 입원했던 분을 만난 적도 있었다. 방심은 금물이라는 걸 깨달았다. 운동도 꾸준히 할 것이고, 식품의 범위도 조심스럽게 넓혀볼 것이다. 이제 석사, 박사 학위증과 관계없이 새 인생 입학 허가를 받은 것을 기꺼이 감당할 터이다.

올해 초에 그냥 살아계시기만이라도 바랐던 어머님이 오랜 노환으로 세상을 떠나셨다. 하나뿐인 아들이 항암 투병을 하는지도 모르시면서……. 자신이 그저 살아 있기만이라도 바라는 사람이 있다는 것을 알아야 한다. 단순히 그 이유 하나만으로도 살아나야 하고 살아야 할 가치가 있다. 병상에서 일어나는 것, 그 자체가 자신과 모두에게 희망을 주는 가치 있는 일이다. 더 가치 있고 덜 가치 있는 생명은 없다. 어느 누구도 어느 사람의 생명은 더 가치 있고, 덜 가치 있다고 할 수 있는 사람은 없다.

**Dr. 코멘트**

과거에는 검사상 빈혈이 발견되면 잘 먹지 못해서이거나 위병이 원인인 경우가 대부분이었다. 그러나 근래에는 성인 남녀에게 빈혈이 발견되면 대장 검사가 필수이다. 대장의 폴립이나 암이 출혈의 원인일 확률이 높기 때문이다. 대변잠혈 검사가 대장암 선별검사로 추천되는 이유이기도 하다.

한태진 환자와 같이 3기 대장암인 경우에는 수술 후 재발률이 높기 때문에 반드시 수술 후에 보조항암약물치료를 받아야 한다. 환자는 수술 후 힘든 항암약물치료를 받으면서도 의사의 지시를 모범생처럼 잘 지켰고 치료 후 적절한 운동과 스스로 개발한 식단을 통해 암으로부터 완쾌된 분이다. 삶에 대한 의욕과 긍정적인 자세가 바로 환자를 완쾌에 이르게 한 것이 아닌가 생각한다.

# 대접 잘해서 보내드려야 할 손님

### 윤정혜(37세, 여, 간호사)

"언니, 나 화장실인데, 대변보다가 보니 피가 났는데, 한두 방울씩 떨어지는 게
아니라 소변처럼 나온 것 같아."

나는 피를 보고 놀라 화장실에서 병원생활을 오래한 언니에게 전화를 걸었다.
응급실 간호사로 일하던 언니는 별일 아닐 거라고 날 안심시켰다. 나도 내심 안심을
했다. 평소 건강만큼은 자신 있던 나였기 때문이다.

하지만 산부인과 간호사 생활은 불규칙했다. 밤낮을 바꾸어 생활해야 했기 때문
에 늘 피곤했다. 그래도 잔병치레 한 적이 한 번도 없었고 몸이 아파 결근하거나 병
원 진료를 받아본 적도 없었다. 그런데 어느 날 혈변을 보았다. 외래 상담실에서 일
하다 신생아실로 옮기고 2주 정도 후였다. 무엇이든 먹는 대로 화장실로 달려갔고
점액변도 보였다. 혈변에 점액변 그리고 설사─변비의 반복 패턴이 일어났다. 그래
도 별일 아닐 거라고 생각했다. 나이도 젊고 건강 체질이라 과민성 장증후군 정도일
거라고 혼자 진단을 내렸다.

그런데 그 증상들이 오래갔다. 이상하다는 생각이 들기 시작했다. 걱정 반 근심
반으로 지내다 결국 근처에 있는 항문외과에 예약을 하고 검사를 받았다.

"직장 쪽에 뭔가 보이는데 암인 것 같습니다. 다른 검사도 좀 해봅시다."

암일지도 모른다는 소리를 들었는데도 나는 부정하거나 눈물을 쏟지 않았다.

"치료는 할 수 있나요?"

"그럼요, 치료할 수 있습니다."

의사선생님의 대답을 듣고 간단한 진찰을 받으러 온 외래환자처럼 가볍게 인사

를 드리고 나왔다.

집에서는 난리가 났다. 경찰병원에서 일하는 둘째언니가 이곳저곳 병원을 찾아 뛰어다녔다. 결국 나는 세브란스병원을 선택했다. 내가 세브란스를 선택했던 건 운명인 듯싶었다. 처음 진찰을 받은 병원에서 검진받기 2주 정도 전에 나이트 근무를 끝내고 아침에 집으로 돌아오는 길이었다. 그날 우연히 신문에서 김남규 교수님의 암 치료 연구에 관한 기사를 보았다. 그런데 그 기억이 머릿속에서 오랫동안 떠나지 않았던 것이다. 그게 나를 세브란스병원으로 이끌었던 것인지도 몰랐다. 그렇게 세브란스로 오게 되었고 내 인생의 2막은 시작되었다.

수술은 성공적이었다. 하지만 좋지 않은 소식도 있었다. 첫 번째는 암조직이 항문과 가까운 곳에 있었기에 장루(인공 항문)를 단 것이었다. 두 번째는 수술 전에 병기가 2기 정도일 것 같다고 말씀해주셨는데 조직검사 결과는 3기 초라는 사실이었다. 장루는 비영구 장루였기에 6개월 후 복원수술을 하기로 했다. 그렇게 두 가지 안 좋은 소식이 있긴 했지만 워낙에 낙천적인 성격이라 그 사실을 인정하고 받아들이는 데는 그리 오랜 시간이 걸리지 않았다.

항암약물치료 역시 고통스러운 시간이었지만 가족들의 염원과 사랑 그리고 세브란스병원 의료진의 세심한 배려 덕에 잘 견뎌낼 수 있었다.

대장암 치료를 받는 동안 오랫동안 사귀었던 남자친구와 헤어졌고 나는 지금의 동반자를 만났다. 처음에는 받아들일 수 없었지만 그의 끈질긴 구애 덕에 나는 새로운 사랑도 하게 되었다. 나는 결국 대장암 투병을 하고 있는 나 자신에 대해 고백했고, 그날로부터 1주일 후 프러포즈를 받았다. 난 그의 사랑을 받아들였다.

새로운 행복을 간직하고 지내면서 장루 복원수술을 했다. 대장암 수술을 받은 지 8개월 만이었다. 수술은 성공적이었다.

그런데 2008년 10월 암이 간으로 전이되었다는 사실을 알게 되었다. 너무도 큰 충격이었다. 처음 암 진단을 받았을 때보다 몇 배, 몇 만 배 더 고통스러웠다. 다시 강하게 마음을 잡기까지 많은 시간이 걸렸다. 하지만 반복되는 수술과 항암약물치료에 나는 나약해져 갔다. 그냥 포기하고 싶었다. 하지만 그럴 수 없었다. 나만 보면 우시는 엄마와 내 눈치만 보는 우리 가족들을 생각해서 다시 한 번 암을 극복해보기로 각오했다.

그렇게 두 번의 항암 투병을 거친 후, 암이란 극복할 수 있는 시련이라 생각하게 되었다. 다시 아파진 뒤에 특별하게 하는 건 없지만 항상 감사한 마음으로 즐겁게 생활하려고 노력한다.

2010년 10월, 날 그토록 열심히 병간호해주던 그와 결혼을 해서 얼마 전 예쁜 딸아이를 출산했다. 딸아이를 임신하기 전에 CT를 찍어서 걱정이 많이 되었지만 다행히 건강하고 예쁜 딸아이가 내게 왔다.

암은 내 인생에 찾아온 반갑지 않은 손님이지만, 내게 찾아온 손님이니 대접 잘 해서 보내드려야 하지 않을까? 암을 인정하고 받아들이는 것이 내게 온 손님을 잘 대접하는 것이라고 생각한다. 암을 인정하고 내 인생의 한 부분이라 생각할 수 있을 때, 암은 불청객이지만 동반자가 될 수 있을 것이다. 내가 암을 동반자라고 생각할 수 있었던 건 항상 따뜻한 미소로 환자의 입장에서 생각해주었던 세브란스 의료진이 있었기 때문이다. 그분들의 배려와 애정에 감사의 말씀을 드리지 못해서 죄송할 따름이다.

**Dr. 코멘트**

대장암의 전이나 재발이 가장 잘 일어나는 부위가 간이다. 대장암이 다른 장기암의 간 전이와 달리 특이한 점은 근치적으로 간을 절제한 후 항암약물치료를 잘 마치면 완치율이 30~40%까지 높아진다는 점이다. 더구나 최근에는 우수한 항암약물치료제 덕분에 근치적 절제가 힘든 상태에서 근치적 절제가 가능해진 경우가 환자의 30%나 된다. 일단 간 전이암이 절제되면 완치의 희망이 보이는 것이다.

윤정혜 환자는 항문에 가깝게 발생한 직장암을 항문괄약근을 보전하는 수술과 항암약물치료로 성공적으로 이겨냈으나 이후 간 전이가 발견된 경우다. 주기적인 정기검진을 통해 간 전이가 일찍 발견된 것이 다행스러운 점이다. 조기 발견 후 환자는 적극적으로 간 전이암을 절제하고 긍정적인 마음으로 항암약물치료까지 마쳐 결혼과 득녀의 결실을 얻었다. 치료의 과정을 항상 웃음 띤 얼굴로 극복하는, 적극적인 자세와 긍정적인 생각이 암을 극복하는 데 큰 도움이 된 것 같다. 현재 무병상태로 4년을 넘기고 있다.

# 대장암, 어떻게 진행되는가?

대장암을 안다는 것은 대장암의 위험요인이 무엇이며 어떤 과정을 거쳐 진행되고, 진행 단계마다 어떤 특징을 보이는지를 아는 것이다. 대장암은 특히 발생 위치에 따라, 병기가 진행됨에 따라 모습을 달리한다. 다양한 대장암의 모습을 파악하고, 대장암을 예방하는 대장내시경 검사까지 숙지한다면 대장암의 모든 것을 안다고 할 수 있다.

# 대장암의 위험요인

최근 증가하는 대장암은 식습관과 생활습관으로 대표되는 환경적 요인, 관련 질환인 폴립, 유전적 요인이 발병의 원인이다. 대장암의 원인과 진행과정을 정확히 알아야 대장암을 더욱 적극적으로 예방할 수 있다. 대장암의 위험요인과 함께 근본적인 예방법인 대장 내시경 검사에 대해 알아보자.

## 식습관으로 대표되는 환경적 요인

1장에서 밝힌 바와 같이 대장암을 유발하는 환경적 요인에는 식이, 음주와 흡연, 비만과 운동 부족, 스트레스 등과 같은 요소들이 있는데, 그중에서 가장 크게 영향을 미치는 것이 바로 식이요인이다. 불규칙하고 대장에 무리를 주는 잘못된 식습관이 대장암의 발생률을 높이는 데 중요한 원인이 된다는 뜻이다. 특히 동물성 지방 또는 포화지방 식이, 붉은색 고기의 섭취가 높을 때, 그 외에 저섬유 식이, 가공된(통조림, 훈제 등) 식이를 많이 할 경우 대장암의 위험도가 증가하는 것으로 알려져 있다.

최근 서구 국가를 중심으로 신체활동량과 대장암 발생 위험도 사이에 연관성이 있다는 것이 밝혀졌다. 여러 연구에 따르면, 노동량이 많은 직업에서 대장암의 발생 위험도가 낮으며, 신체활동량이 많은 사람이 적은 사람보다 대장암 발생 위험도가 낮다고 보고하고 있다.

그 외에 비만, 흡연, 음주가 암 발생률에 영향을 미치는 것으로 고려되고 있다(1장 30쪽 참고).

## 대장암 전구 질환인 폴립

대장에서 곧바로 암이 생기는 경우는 전체 대장암의 5% 정도이고, 나머지 95%는 대장 점막층에 혹처럼 튀어나온 융기물, 즉 폴립에서 발병한다. 폴립은 대장의 점막 표면에 돌출된 병변을 총칭하는 말이다. 그러나 모든 폴립이 암이 되는 것은 아니다. 암으로 발전하는 폴립인 '샘종성 폴립(샘종)'은 30~50%를 차지하고, 암으로 발전하지 않는 폴립인 '비종양성 폴립'이 50~70%를 차지한다.

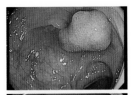
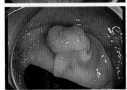

**샘종**

이 중에서 암으로 발전하는 샘종의 변화 과정을 보면 다음과 같다. 정상적인 대장 점막에 발생한 폴립이 비정상적인 증식과 유전자 변이에 의해 '저도 이형성low grade

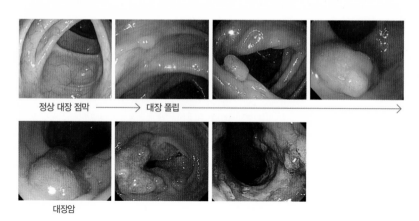

정상 대장 점막 ——→ 대장 폴립 ——————————————→

대장암

**대장 폴립이 암으로 진행되는 과정**

dysplasia 샘종'으로 발전한다. 이러한 유전자 변이가 축적되면 '고도 이형성high grade dysplasia 샘종'으로, 그리고 진행성 암으로 발전되어 '샘종-암 연속체adenoma-carcinoma sequence'가 되는 것이다. 이 과정에서 저도 이형성 샘종의 일부만 암으로 진행되는데, 진행되는 시간이 8~15년 정도 걸리는 것으로 알려져 있다.

샘종성 폴립이 암으로 발전할 가능성은 모양과 조직의 특징 그리고 폴립의 크기에 의해 결정된다. 물론 대장 폴립은 그 크기가 클수록 암이 동반될 가능성이 높아진다. 또한 샘종성 폴립이 발견되면

---

**TIP 샘종의 크기와 암 발병률**

샘종의 크기가 클수록, 조직검사에서 융모 형태의 세포가 많을수록, 세포 분화가 나쁠수록 암으로 진행되는 기간이 짧다. 샘종의 크기가 클수록 폴립 내에 암이 존재할 위험성이 증가하는데, 샘종 크기가 1cm 미만일 때는 폴립 내에 암세포가 있을 가능성이 1% 이하지만 2cm 이상이면 10%로 치솟는다. 3cm가 넘으면 암 발생률이 40~50%나 된다.

대장 내에 동시에 여러 곳에서 폴립이 발견될 가능성이 높으므로 대장 전체를 내시경 또는 방사선 검사로 확인해야 한다. 샘종성 폴립이 있었던 환자는 일반인에 비해 대장암의 발생률이 높으므로 처음 폴립을 발견하여 제거한 후 대장내시경 검사를 정기적으로 시행하여 추적 관찰하는 게 좋다.

대부분의 대장 폴립은 특별한 증상 없이 발견되는 경우가 많다. 그러나 샘종성 폴립이 암으로 발전되기까지는 8~15년의 긴 시간이 걸리기 때문에 꾸준한 대장내시경 검사나 대장조영술을 받는다면 사전에 쉽게 예방 및 진단할 수 있다. 특히 대장내시경 검사가 점막 병변을 발견하는 데 있어서 대장조영술에 비해 더 정확하며, 조직검사가 가능하고 한 번에 대부분의 폴립을 절제할 수 있기 때문에 대장내시경으로 대장 검진을 받는 게 좋다.

> **TIP 모든 폴립이 암이 되지는 않는다**
>
> 대부분의 대장암은 샘종성 폴립에서 발생한다. 그러나 폴립이 모두 암이 되는 것은 아니고 일부만이 암으로 발전한다.
> 폴립의 융기된 형태는 눈으로 확인할 수 있는데, 대장암으로 발전 가능성이 가장 큰 샘종성 폴립이 있고 40세 이후부터 연력이 증가할수록 흔하게 발견되는 증식성 폴립이 있다. 하지만 증식성 폴립은 암으로 발전하지 않는 것으로 알려져 있다. 이 외에 장에 염증이 생기고 치유되는 과정에서 생기는 염증성 폴립과 유년기 폴립으로 대표적인 과오종이 있는데, 이 두 폴립 역시 암으로 발전하지 않는 것으로 알려져 있다. 이처럼 샘종성 폴립만 대장암으로 발전한다. 하지만 폴립은 구분이 쉽지 않기 때문에 발견하게 되면 가능한 제거해야 한다.

# 무시할 수 없는 유전

암 진단을 받으면 가족 중에 누군가가 동일한 암 진단을 받아 수술을 했거나 사망한 경우가 없는지, 가족력을 의심해보는 경우가 많다. 대장암 역시 유전을 무시할 수 없다.

대장암의 약 75%는 알려진 위험인자가 없는 사람에게서 발생하고, 나머지 25%만이 대장암 위험도가 높은 사람에게서 발생한다. 그중 대장암의 가족력이 있는 사람에게서 발생하는 대장암이 15~20%로 대부분을 차지하고 있다. 대부분의 대장암이 환경적 요인과 관련이 있지만 유전적 관련성도 높다고 알려져 있다.

유전성 대장암 중에서 가족성 폴립증, 유전성 비폴립성 대장직장암 등이 대표적으로 알려져 있다.

가족성 폴립증은 유전자에 돌연변이가 생겨서 발생하는 상염색체 우성 질환으로, 25세부터 대장에 수백 개의 샘종성 폴립이 발생하기 시작하여 50세에는 90%의 환자에서 대장암이 발생한다.

유전성 비폴립성 대장직장암은 전체 대장암의 3~5%에 해당하며 DNA 손상을 수선하는 단백질의 돌연변이에 의해 발생한다. 가족성 폴립증 환자처럼 대장에 수백 개의 폴립이 발생하지는 않지만 40~50대에 대장암이 발생하는 것으로 알려져 있다.

그러나 환경적 요인과 다르게 유전으로 발생하는 대장암에는 속수무책일 수밖에 없다고 미리 두려움을 가질 필요는 없다. 현대 의학은 눈부신 발전을 거듭하고 있다. 분자유전학의 발달과 함께 질병 진단의 정확성이 높아지고 있으며, 정기검진을 통한 조기 검진과 완치율이 높아지고 있기 때문이다.

# 예방에 중요한 대장내시경 검사

## ● 정기적인 대장내시경 검사로 충분히 예방할 수 있다

대장내시경 검사는 가장 많이 시행되고 가장 널리 알려졌으며, 전문의들이 추천하는 가장 정확한 대장암 검사법이다. 예방의 차원에서 암으로 발전할 수 있는 대장 폴립을 미리 발견할 수 있을 뿐만 아니라, 발견된 폴립을 제거하는 역할까지 한다. 그렇다면 대장내시경 검사는 누가, 언제 받아야 하는 것일까?

대장암의 가족력이 없는 보통의 경우에는 대장내시경 검사를 50세부터 시작하는데, 대장암 발생과 사망률이 이 시기에 급격히 증가하기 때문이다. 현재까지 직접적인 증거는 없지만 대장내시경 검사에서 정상적인 소견을 보인 경우 5~10년 간격으로 대장내시경 검사를 권하고 있다.

그 이유는 첫째, 역학조사 연구에서 샘종이 대장암으로 진행되는데 10년 정도의 시간이 소요되고, 둘째, 증상이 없고 대장내시경 검사 결과가 정상인 사람을 5년 후에 추적 내시경 검사를 해보았을 때

| 검진 연령 | 50세 이상 남녀 |
|---|---|
| 검진 주기 | 5~10년 |
| 검진 방법 | 대장내시경 검사<br>＊대장내시경 검사를 시행하지 못할 경우에는 대장이중조영 검사와 에스결장경 검사로 대신할 수 있다. |

출처 : 국립암센터, 대한대장항문학회, 2001

＊여기서 대장암은 결장암과 직장암을 포함한다.
＊고위험군의 검진 권고안은 55쪽을 참고한다.

**대장암의 조기 검진 권고안 : 평균위험군**

1cm 이상의 진행성 샘종이 단지 한 예밖에 발견되지 않았고 심한 이형성도 발견되지 않아서다. 셋째로 대장내시경 검사를 받은 사람들은 대장암의 발생률이나 그에 따른 사망률이 현저하게 감소되었고, 그 효과가 10년 정도 지속된다는 연구에 근거해서다.

미국의 경우 대장내시경 검사를 통해 대장암의 발생을 약 76~90% 정도 감소시켰다는 보고도 있었다. 이후 대장암을 선별하고 예방하는 데 대장내시경 검사가 제일 유용한 검사법으로 널리 인정되었다.

## ◉ 대장암에 걸린 가족이 있다면 젊어서부터 관리한다

대장암의 고위험군, 한마디로 그 질병에 잘 걸릴 수 있는 사람들은 특별히 대장내시경 검사에 관심을 가져야 한다. 대장암의 고위험군은, 대장암이나 대장암의 전조라고 볼 수 있는 샘종성 폴립의 과거력이 있는 사람들과 대장암의 가족력이 있는 경우, 대장암을 잘 일으킬 수 있는 염증성 장질환이 있는 사람들을 고위험군으로 정의

한다.

이러한 고위험군은 대장내시경 검사를 40세부터 혹은 가족력이 있는 경우 가족 내 최연소 암 환자의 발병 연령보다 10년 일찍 검사를 시작해 5년마다 주기적으로 받도록 권하고 있다.

유전에 의한 가족성 폴립증의 경우, 대장내시경 검사 시 100개 이상의 샘종성 폴립이 관찰되기도 한다. 샘종성 폴립의 발생은 주로 10대와 20대에 나타나기 시작하고 40세 전후로 대장암이 발생하므로 최소한 10세부터 에스결장경 검사를 매년 받아야 한다.

| 고위험군 | | | 검진 연령 | 검진 주기 | 검진 방법 |
|---|---|---|---|---|---|
| 가족력 | 부모·형제가 암인 경우 암 발생 연령이 55세 이하 혹은 2명 이상의 암 환자(연령 불문) | | 40세 [1] | 5년 | 대장내시경 검사 |
| | 부모·형제가 암인 경우 암 발생 연령이 55세 이상 | | 50세 [2] | 5년 | |
| 폴립 | 증식성 폴립 | | 평균위험군에 준함 | | 대장내시경 검사 |
| | 샘종성 폴립 | 1cm 미만 | | 절제 후 3년 | |
| | | 1cm 이상 또는 다발성 | | 절제 후 1년 | |
| 염증성 장질환 | 좌측 대장에 국한 | | 발병 후 15년부터 | 1~2년 | 대장내시경 검사 |
| | 대장 전체에 병변 | | 발병 후 8년부터 | 1~2년 | |
| 유전성 암 | 가족성 폴립증의 가족력 | | 12세 | 1~2년 | 에스결장경 검사 |
| | 유전성 비폴립성 대장직장암의 가족력 | | 21~40세 | 2년 | 대장내시경 검사 |

출처 : 국립암센터, 대한대장항문학회, 2001

1) 유전성 암인 경우에는 검진 시작 시 유전자 검사를 고려하도록 한다.
2) 유전성 비폴립성 대장직장암의 가족력이 있는 경우는 가족 내 최연소 암 환자의 발병 연령보다 10년 일찍부터 검진을 시작한다.

**대장암의 조기 검진 권고안 : 고위험군**

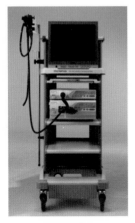

**대장내시경**

유전성 비폴립성 대장직장암의 경우에는 20세부터, 늦어도 40세부터 전(全)대장내시경 검사를 시행하여 폴립이 없으면 2년마다 주기적으로 검사를 한다.

### ● 대장내시경 검사는 어떻게 이뤄지나?

대장암에 있어 가장 중요한 대장내시경 검사는 유연한 튜브를 환자 항문으로 삽입하여 실시하는 검사로, 의사가 환자 대장 내 출혈 부위와 병변 표면을 직접 관찰할 수 있고 의심되는 부위는 떼어내 조직검사를 할 수도 있다.

대장내시경 검사는 조직검사를 같이 할 수 있다는 장점 때문에 일반적으로 대장암의 1차 진단은 대장내시경 검사로 하고 있으며, 대장암 확진을 위해서도 대장내시경을 통한 조직검사가 필요하다.

---

**TIP 대장내시경 검사 전 주의해야 할 사항**

장을 청소하는 과정에서 용액을 과량으로 섭취해야 하는데, 종양이나 유착 등으로 인해 장이 막혀 있는 경우에는 용액이 배출되지 않으므로 주의한다. 또한 대장에 염증이 심한 경우도 염증을 악화시킬 수 있다. 즉 복부팽만이 있고 며칠 동안 대변을 못 본 경우, 심한 복통과 혈변 등의 증상이 있는 경우에는 반드시 의사와 대장내시경 검사 진행 여부를 상의해야 한다.
검사 며칠 전부터 섬유소가 적은 부드러운 음식을 섭취하는 것이 좋으며, 심장 질환, 당뇨 질환 등으로 복용하고 있는 약이 있을 경우 반드시 검사 전에 의사에게 복용 여부를 확인한다.

그러나 대장내시경 검사의 준비과정 중에 장 청소하는 물약을 복용하는 것이 힘들기도 하고, 항문을 통해 내시경을 넣고 공기로 장을 부풀리면서 맹장까지 삽입하는 과정에서 느껴지는 불편감과 약간의 통증으로 기피하는 이들이 많다. 하지만 대장을 깨끗하게 비워야 검사가 정확하므로 장 청결을 간과해서는 안 되며, 대장 굴곡이 정상 범위를 벗어나 심하게 굴곡지지 않는 한 통증이 심하지 않으며 숙련된 전문의에게 검사를 받을 경우 힘들지 않게 대장내시경 검사를 받을 수 있다. 그리고 최근 보편화된 수면내시경 검사를 받게 되면 전혀 통증 없이 받을 수도 있다.

협착 등의 여러 가지 이유로 대장내시경이 끝까지 도달하지 못하여 전체 대장을 관찰하지 못할 경우 CT 촬영을 통해 대장 내부를 가상의 3차원 영상으로 구현해 관찰할 수 있는 가상 대장내시경Virtual Colonoscopy 검사 등이 도움이 될 수 있다.

---

**TIP 중간암**

중간암이란 대장내시경 검사를 받아 정상으로 판정받은 후 약 5년 정도의 단기간에 대장암이 발견되는 경우로 정의되는데, 그 원인은 크게 다섯 가지로 나뉜다.
첫째, 생물학적으로 빨리 자라는 암일 경우
둘째, 부적절한 장 정결
셋째, 폴립의 불완전한 절제
넷째, 대장내시경 검사의 기술적인 한계
다섯째, 시술자의 미숙한 내시경 검사
따라서 젊은 직장인은 50세 이전이라도 한 번쯤 대장내시경 검사를 받고 대장 폴립이 진단되면 적극적인 추적검사가 필요하다. 또한 대장내시경 검사 전, 완전히 장 정결이 되도록 검사 전 지켜야 할 수칙을 꼭 확인해야 한다. 그리고 검사 결과를 확인하고, 증상이 없더라도 주기적인 검진을 통해 대장암을 예방하고 조기 발견하는 것이 중요하다.

## ◉ 대장내시경 검사 이외의 대장암 검사는?

●직장수지 검사 검사자가 항문에 검지를 삽입하여 직장을 촉지하는 방법으로 간단하게 직장암을 발견할 수 있다.

●대변잠혈 검사 환자의 대변에서 혈액성분을 채취해 대장암을 선별하는 검사로, 간단하고 경제적인 방법이지만 양성 반응이 나오면 정확한 진단을 위해 추가로 대장내시경 검사를 받아야 한다.

●바륨대장조영술 항문으로 작은 튜브를 삽입해 바륨조영제를 주입하고 공기를 넣은 후 X-선을 이용해 영상 촬영으로 대장암을 밝혀내는 검사다. 암이 의심되는 경우 정확한 진단과 조직검사를 위해 대장내시경 검사를 추가로 받아야 한다.

●양전자방출단층촬영(PET) 암세포가 정상세포에 비해 포도당대사가 빠르다는 점을 이용한 검사로, 악성 종양세포에 특

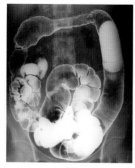
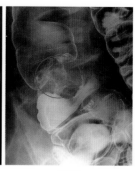

| 정상 | 폴립 | 대장암 |

**바륨대장조영술**

징적으로 부착되는 방사성동위원소를 체내에 주사한 다음, 포도당의 이상 분포를 보고 각종 암을 발견할 수 있다. 또한 수술 후 남아 있을 수 있는 암조직의 존재 여부, 암의 재발, 뼈 및 기타 장기로의 전이 등을 보다 정확하게 진단하고 치료하는 데 큰 도움을 받을 수 있다.

● 암태아성항원(CEA) 검사 종양표지자는 종양이나 종양에 대한 인체의 반응에 의해 생성된 물질로, 종양의 존재를 확인하는 데 이용한다. 암태아성항원 검사는 태아 시기에 만들어지는 당단백질의 일종인 암태아성항원CEA을 종양표지자로 검사하는 방법이다. 성인에게서 신생아보다 높은 CEA 수치가 나타나면 암이 있을 가능성이 있음을 의미한다. 그러나 대장암을 단독으로 진단하기에는 부적합해 수술 전 병기 판정이나 재발 확인을 위한 보조적 검사로 쓰인다.

● 컴퓨터 단층촬영(CT; Computerized Tomography) 컴퓨터 단층촬영은 비침습적인 검사 방법으로서, 신체의 각 부분이나 장기의 3차원적 영상을 얻기 위해 인체의 여러 각도에서 방사선을 투과한다. 이를 연속적으로 X−선 단층촬영을 하여 인체 단면에 대한 방사선 흡수치를 구하고 정상과 비정상적인 해부학적, 병리학적 정보를 컴퓨터로 분석하여 영상으로 나타내는 검사다. 대장암의 경우 병변의 위치 및 주변 구조와의 관계를 확인할 수 있고 타 장기 전이 여부를 확인할 수 있다.

●자기공명영상(MRI; Magnetic Resonance Imaging) 검사 자기공명영상 검사는 자기장이 발생하는 커다란 자석통 속에 검사자가 들어간 후 고주파를 발생시켜 신체 부위에 있는 수소 원자핵을 공명시켜 각 조직에서 나오는 신호의 차이를 측정하여 컴퓨터를 통해 재구성하여 영상화하는 기술이다. 직장암에서 병변의 위치와 주변 림프절로의 전이, 주위 조직에의 유착 여부 등을 알아보는 데 매우 유용하여 직장암 환자의 경우에는 대부분 이 검사를 받게 된다.

# 대장암의 시작

대장암은 결장 또는 직장에서 발생하는 악성 종양이다. 대부분 점막에서 발생하며, 암이 발생하는 위치에 따라 암의 종류가 다르지만 통칭 대장암이라고 한다. 본격적인 대장암의 시작을 알기 위해서는 발생 위치와 증상에 따른 대장암과 병기의 결정에 대해서 알아둘 필요가 있다.

## 다양한 모습으로 나타나는 대장암

대장암은 다양한 증상을 가지고 있다. 대장암의 증상은 암이 어느 부위에 있는지 또는 어떤 모양인지, 장을 막는지, 어느 정도 진행되어 있는지에 따라 다양하다. 반대로 아무런 증상이 없는데도 불구하고 상당히 진행된 대장암이 진단되기도 한다.

### ◉ 대장암은 위치에 따라 분포도가 다르다

대장은 크게 결장과 직장으로 구분되고 결장은 다시 맹장, 상행결장, 횡행결장, 하행결장 그리고 에스결장으로 나누어진다. 이때 암

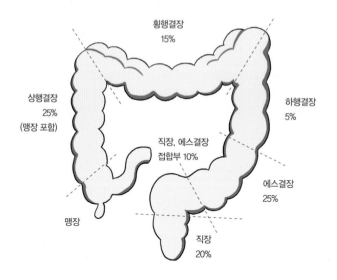

**위치에 따른 대장암의 분포**

이 발생하는 위치에 따라 결장에 생기면 결장암, 직장에 생기면 직장암이라고 부르며, 이를 통칭 대장암 혹은 결장직장암이라고 한다. 각 부위별 발생률을 보면 맹장과 상행결장에서 25%, 에스결장에서 25%, 직장에서 20%. 횡행결장에서 15%, 직장과 에스결장의 접합부에서 10%, 하행결장에서 5% 정도 분포되어 있다.

### ● 대장암은 위치에 따라 증상이 다르다

대장암이 위치에 따라 분포도가 다르듯이 증상 역시 발생 부위에

> **TIP** 대장암이 잘 생기는 부위는?
>
> 대장암의 약 75%는 좌측 대장에서 생긴다. 이 중 직장암의 50%는 직장수지 검사만으로도 쉽게 진단할 수 있다. 하지만 확진을 위해 반드시 대장내시경 검사도 받아야 한다.

따라 달라진다.

●우측대장암 우측대장암은 횡행결장의 우측 부위인 맹장, 상
행결장, 즉 대장의 우측에 발생하는 대장암이다. 우측 대장은
장이 굵고 대변에 수분이 많아 묽은 상태이기 때문에 암의 크
기가 클 때까지는 장이 막히는 장폐색의 경우가 드물다. 따라
서 배변습관의 변화가 잘 생기지 않고, 증상이 거의 없거나 있
다고 하더라도 설사를 동반하는 경우가 많다. 대개 만성적인
출혈을 유발해 빈혈을 일으킨다.

우측 대장에 암이 생기면 대부분 체중감소와 빈혈 등의 증상
으로 피곤하고 몸이 약해졌다는 느낌을 받게 된다. 복부팽만
이 있거나, 이미 진행된 경우에는 우측 아랫배에 혹이 만져지
기도 하지만 변에서 혈액이 관찰되거나 분비물이 섞인 점액변
을 보는 경우는 드물다.

●좌측대장암 좌측대장암은 횡행결장의 좌측 부위인 하행결
장, 에스결장, 즉 대장의 좌측에 발생하는 대장암이다. 좌측
대장에 암이 생기는 경우에는 횡행결장과 좌측 대장으로 갈수
록 변이 농축되고 대장의 지름이 좁아지기 때문에 변비와 통
증을 동반하는 경우가 많다. 변에 피가 섞여 나오는 혈변이 우
측 대장암보다 흔하게 보이며, 장폐색 증상도 자주 발생한다.
설사를 하다가도 변비로 바뀌는 배변습관의 변화도 나타난다.

| 우측대장암 | 좌측대장암 | 직장암 |
|---|---|---|
| · 설사<br>· 출혈로 인한 빈혈<br>· 체중감소<br>· 복부팽만<br>· 피로감<br>· 혹이 만져짐 | · 통증을 동반한 변비<br>· 혈변<br>· 장폐색<br>· 배변습관의 변화 | · 점액성 혈변<br>· 변비 혹은 설사<br>· 배변 시 통증<br>· 잔변감 |

**대장암의 위치에 따른 증상**

●직장암 직장에 암이 생기는 경우 끈적끈적한 점액성 혈변을 보는 주요 증상이 나타나고 변비나 설사를 동반할 수 있으며, 배변 시 통증을 느끼는 경우도 있다.

항문에 가까운 곳에 암이 생길 때에는 변을 보기 힘들거나 대변이 가늘어지며 대변을 본 이후에도 덜 본 것 같은 잔변감 또는 대변을 눌 때 뒤가 무지근한 느낌이 종종 나타난다. 그러나 이런 증상은 대장 또는 항문의 다른 질환에서도 흔하므로 정확한 검사로 구별해야 한다. 물론 암의 일반적인 증상인 체중감소, 식욕감퇴, 원인 미상의 피로감 또는 빈혈도 동반될 수 있다.

●늦게 발견하여 전이된 대장암 대장암의 일반적인 증상이 없어서 발견하지 못한 대장암의 경우, 이미 다른 장기로의 전이까지 이루어진 경우도 있다. 특히 대장암이 간으로 전이된 경우에는 오른쪽 윗배가 뻐근하게 아플 수 있으며 황달이 나타나기도 한다. 복막으로 전이되면 배 전체가 답답하고 불편하며 때로는 복수가 차기도 한다. 폐로 전이된 경우에는 호흡곤

란과 기침이 문제가 되며, 늑막에 전이되면 가슴 통증과 호흡 곤란을 호소하게 된다.


# 진행 단계에 따라 달라지는 대장암

암 진단을 받았을 때 대부분의 사람들이 병기에 주목한다. 이에 따라 절망하기도 하고 희망을 갖기도 하는데, 암은 적극적으로 치료하면 분명 완치가 가능한 질병이다. 대장암의 병기 결정은 어떻게 이뤄지고 각 병기마다 생존율은 어떠한지 자세히 살펴보자.


## ● 수술 후 병기가 확정된다

대장암의 병기는 수술 후에 정확하게 이루어진다. 조직검사, CT, MRI 등 수술 전에 시행하는 검사에서 치료방침을 결정하기 위해서 대략적으로 병기를 결정할 수 있으나 정확한 최종병기 결정은 수술 후에 이루어진다. 대장암의 병기는 종양의 침윤 정도, 주변 림프절의 전이 정도, 간이나 폐 등 전이 유무에 따라 결정되며 0기, 1기, 2기, 3기, 4기로 구분한다.

●0기 일명 점막암이라고도 하는 0기 암은 종양의 침윤이 점막 내에 국한된 경우로, 대장내시경으로 절제하여 완치할 수 있다.

●1기 종양의 침윤이 점막하층에 국한된 경우를 말하며, 주변 림프절과 원격 전이가 없는 상태로 5년 생존율이 대략 90% 이상으로 보고되고 있다.

●2기 종양의 침윤이 장막층을 뚫지 않은 경우를 말하며, 주변 림프절과 원격 전이가 없는 상태로 5년 생존율이 대략 70% 정도로 보고되고 있다.

●3기 종양의 침윤 정도와 무관하며, 주변 림프절에 전이가 있으며 원격 전이가 없는 상태로 5년 생존율이 대략 50% 정도로 보고되고 있다.

●4기 종양의 장벽 침윤 정도와 무관하며, 원격 전이가 있는 상태이지만 대개의 경우 주변 림프절에서 전이가 발견된다. 5년 생존율은 대략 5% 이하로 보고되고 있다. 그러나 최근에는 원격 전이가 있어 4기 암으로 진단되더라도 간이나 폐의 전이 병변이 절제 가능할 경우에는 생존율의 향상을 보고하고 있어 근치적인 절제가 가능한 4기 암은 적극적으로 수술을 한다.

---

**TIP 림프절과 원격 전이**

림프관 곳곳에 위치한 림프절은 중요 혈관 경로를 따라 우리 몸의 면역기능을 담당하고 있는 기관이다. 만약 암이 진행되어 림프관을 타고 퍼져 림프절에 도착하면 림프구들이 암이 퍼지지 않도록 저지하는 역할을 하게 된다. 이때 림프절의 크기가 커지게 된다. 그러나 이 저지선이 무너지면 혈관으로 암이 퍼지게 되어 멀리 떨어진 다른 장기로까지 옮겨가는, 즉 원격 전이가 발생한다.

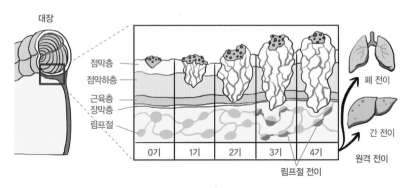

**대장암 진행 병기표**

## ◉ 최종병기 결정과 생존율

대장암 수술의 목표는 몸에서 대장암세포를 모두 제거하는 것이다. 하지만 대장암세포는 사람의 눈으로 확인할 수 없기 때문에 수술 후 절제된 암을 포함한 대장은 병리과로 보내져 정밀 분석을 시행하게 된다. 암조직이 적절히 절제되었는지, 혹시라도 암세포를 남겨두고 절제가 이루어진 것은 아닌지 현미경을 통해 확인하는데, 이를 병리조직검사라 한다.

암조직이 진행된 정도, 즉 크기 외에도 장벽으로의 침윤 정도와 주변 혈관 및 림프관의 침윤 여부, 림프절 전이 여부 등 여러 가지 검사들을 바탕으로 최종적으로 병기가 결정된다.

---

**TIP 증상이 나타나면 진행된 암일 수도 있다**

대장암은 초기에는 암 덩어리가 크지 않기 때문에 대장 기능에 문제가 없어서 암을 발견하기 쉽지 않다는 문제점이 있다. 보통 암세포가 1cm 정도 자라는 데 5~20년 또는 그 이상이 걸린다고 한다. 그래서 증상이 나타났을 때에는 이미 대장암 4기로 진단되는 경우도 있다.

| 년도 | 남녀 전체 | 남 | 여 |
|---|---|---|---|
| '96~'00 | 58.0% | 59.0% | 56.8% |
| '01~'05 | 66.3% | 68.3% | 63.8% |
| '06~'09 | 70.1% | 72.0% | 67.5% |

출처 : 보건복지부 중앙암등록본부, 2010

**대장암 5년 상대생존율**

대장암은 다른 소화기관의 암에 비해 비교적 예후가 좋은 편에 속하며, 꾸준히 생존율의 향상을 보이고 있다. 2010년에 발표된 중앙암등록본부 자료에 따르면, 1996~2009년 대장암의 5년 상대생존율이 꾸준히 늘어 최근 생존율이 약 70.1%로 보고되고 있다.

# 건강관리는 나의 몫

### 엄마리(67세, 여)

나는 2006년 11월 27일에 직장암 수술을 받았다. 죽을 준비를 하는 마음으로 수술을 받기로 했는데 의료진은 내게 수술 후에 대변 주머니를 차게 될 수도 있다고 했다. 나는 '이왕 죽을 텐데 냄새나는 대변 주머니를 차고 좀 더 살면 무슨 의미가 있겠나' 싶었다. 하지만 의료진은 대변 주머니를 차도 몇 개월 후에 그것을 제거하는 수술을 하고, 수술이 잘되면 몇 십 년 더 살 테니 걱정하지 말라고 했다. 그때 그 말이 내게 큰 위로가 되었다.

직장암 수술을 받은 지 8개월쯤 후, 나는 장루복원 수술을 받았다. 수술은 잘 끝났고 대변 주머니가 사라졌다는 말을 듣는 순간 나는 누운 채로 두 팔을 높이 들고 "할렐루야! 감사합니다!"라고 외쳤다.

6인 병실에 배정받고 수술 후 3일째 되는 날부터 병원 복도를 걸어 다니는 운동을 하라는 지시를 받고 따랐다. 그 말을 듣고 나서 병원 복도를 걷기 시작했는데 한꺼번에 무리하게 많이 걸으면 수술한 자리가 다시 터질 수도 있다고 해서 짧게 자주 걷기 시작했다. 걷기 시작한 지 며칠 되지 않아 다른 환자들이 나에게 수술한 사람 같지 않게 잘 걷는다고 했다.

수술을 시작하기 전날 검사 결과에 혈당 수치가 높게 나왔다. 평소에 당뇨병을 앓고 있지 않다고 했더니 다시 검사를 하여 평균치를 내보고 괜찮다는 결과에 따라 수술을 했다. 수술 후 혈당 체크를 매일 했고 퇴원 후에는 혈당 관리를 하는 것이 좋겠다는 의료진의 권유로 내분비내과를 소개받았다.

내분비내과에 가서 검사를 했더니 식후 혈당이 높다고 하면서 노인성 당뇨병이

올 증상이라며 약을 처방하고 관리를 시작해야 한다고 했다. 당뇨병은 초기에 치료를 시작해야지 방치하면 치료가 어렵다는 것이다. 이후 혈당 관리를 철저히 해 현재는 안정적으로 정상 수치가 나오고 있다.

암 투병을 위해 병원에 입원하고 있는 동안 나는 내 병의 원인이 무엇인가를 곰곰히 생각하게 되었다. 나는 나름대로 2가지 원인이 있다고 판단했다. 직장생활에서 받는 스트레스를 해소하는 노력이 없었고 운동도 부족했으며, 식생활이 잘못되었다는 점을 깨달았다.

퇴원 후 나는 만보기를 허리에 달고 매일 걷기 운동을 시작했다. 처음에는 5천 보로 시작해 점차 늘려가면서 나중에는 1만 보에서 1만 5천 보까지 하루도 빼놓지 않고 매일 걸었다. 어느덧 만 5년이 된 지금도 나는 매일 걷기 운동을 실천하고 있다. 걷기 운동 덕에 사람들은 내가 환자 같지 않고 건강한 모습이라고 한다. 처음 시작할 때 몇 개월은 힘들었고 몸살이 나는 것처럼 피곤했지만 고비를 넘기고 나니 지금은 걷지 않으면 온몸이 찌뿌둥한 것 같다. 지금은 매일 걷기가 내 생활의 일부가 되었다.

나는 식생활도 전면적으로 바꾸었다. 외식을 줄이고 과식을 하지 않으며, 간편하게 잡곡을 먹는 방법을 선택하였다. 지난여름에 뉴질랜드의 여동생네에 가서 3개월을 지냈는데 그때도 뻥튀기한 잡곡가루를 3개월분 싸가지고 가서 먹었고, 가끔 동생네와 외식을 할 때 말고는 그곳에서도 하루 세끼를 한국에서 먹던 것과 똑같이 해 먹었다.

수술 후에 건강보조식품을 먹으려고 할 때도 나는 반드시 세브란스병원의 의료진과 상의하고 먹었다. 양질의 유산균을 먹으라고 하여 나는 지금도 가루 유산균을 먹고 있다. 수술 후 대변과 방귀가 시도 때도 없이 배출되는 황당한 일을 겪었을 때 의료진은 항문 마사지기를 사용하는 게 좋다는 의견을 주었고, 나는 그대로 시행했다. 나는 세브란스 의료진의 말을 철저하게 잘 지켰다.

나는 수술 후 관리가 정말 중요하다고 생각한다. 그리고 내 자신의 마음을 잘 다스리는 것이 무엇보다 중요하다고 생각한다. 암 선고로 죽었던 목숨이 훌륭한 의료진을 만나 살았으니 모든 욕심을 다 내려놓고 마음을 비워 긍정적이고 낙천적으로 살고 있다. 돌이켜보면 암 덩어리는 의사가 수술하고 떼어내지만 그후 관리는 환자 스스로의 몫이요, 책임이라는 생각이 든다.

2011년 11월에 수술한 지 만 5년이 되어 CT 촬영, 혈액검사 등을 하고, 그 결과

암으로부터 완치되었다는 진단을 들었다. 수술을 성공적으로 이끌어주고 철저하게 일상생활을 관리할 수 있도록 해준 모든 의료진에게 그저 고마울 뿐이다.

**Dr. 코멘트**

항문에 가까운 곳에 위치한 직장암은 항문괄약근 보존 목적으로 수술 전에 동시항암약물방사선치료를 받는 경우가 많다. 그러나 1기 직장암에 수술 전 방사선치료를 시행하면 과도한 치료가 되기도 하고, 직장과 항문괄약근에서 방사선 조사의 후유증이 발생할 수도 있어 우려되는 점이 있다.

엄마리 환자는 수술 후 병기가 1기로 나와 추가적인 항암약물치료 및 방사선치료를 시행하지 않았다. 다만 항문에 가깝게 위치한 직장암이었기에 수술 전 방사선치료와 항암약물치료를 선행할 것인지 고민하였으나, 수술 전 병기 검사에서 항문에 가까이 있지만 병기가 초기일 가능성이 있어 수술을 먼저 시행해도 좋을 것 같아 진행했다.

문제는 직장암 절제술 후 장 문합부의 누출 위험이 있어 일시적으로 장루를 만든 데 있었다. 처음에 환자 분이 일시적 장루를 많이 힘들어했기 때문이다. 그러나 착용 기간을 긍정적인 마음으로 이겨내고 복원수술을 받았다. 복원수술 후에는 배변을 자주 보는 문제가 발생할 수 있는데, 이 경우 주기적인 항문괄약근 수축운동과 좌욕 등으로 불편한 배변 증상을 개선하였다. 일시적으로 만든 장루 문제와 배변 문제를 슬기롭게 극복한 데다 원래 있던 당뇨병도 식이요법과 운동요법으로 극복한 좋은 사례.

# 가족의 소중함을 깨닫게 되는
# 값진 시간

**전영미(개그우먼, 환자 가족)**

"대변이 이상하게 가늘게 나온다."

어머니가 그렇게 말씀하셨지만 나는 대수롭지 않게 받아들였다.

"엄마는 참, 그럴 일이 뭐가 있어~ 병원에 한번 가봐."

그토록 무심하게 말했던 것이 지금도 죄스럽다. 그러나 가족 모두 어머니의 말씀이 대수롭지 않다고 생각하면서도 염려가 되었던 터라 마침 대전의 병원에서 간호사로 일하고 있는 올케에게 부탁해 진료를 받게 되었다. 그런데 직장암 2기라는 믿기지 않는 엄청난 현실에 맞닥뜨리게 되었다.

암이라는 진단을 들어본 사람만이 알 수 있는, 형언할 수 없는 두려움이 밀려들었다. 게다가 어머니의 말씀을 무심히 넘겼던 죄책감까지 한꺼번에 밀려들었다. 하지만 곧 마음을 추스르고 장녀로서 어머니의 치료과정은 물론, 직접 돌봐드릴 수 있는 방법을 생각해보았다. 결국 내가 있는 서울로 모시고 올라오게 되었다.

좋은 의사선생님을 수소문하던 중, 당시 내가 일하고 있던 SBS의 아나운서 친구를 통해 세브란스 김남규 교수님을 소개받게 되었다. 유난히 겁이 많으신 어머니를 위해 나는 실례를 무릅쓰고, 간호사 선생님을 통해 진료 첫날 쪽지 하나를 전달했다.

'교수님! 저희 어머니가 겁이 많으세요. 암이란 것도 모르시고 그냥 장에 약간의 염증이 생긴 정도로만 알고 계세요. 죄송하지만, 어머니께 암이라는 말을 쓰지 말아주세요. 부탁드립니다.'

다소 무례한 부탁이었음에도 교수님께선 수술이 끝나 퇴원하는 날까지 내 부탁을 들어주셨다. 그 신뢰는 평생 잊지 못할 고마운 기억이 되었다.

그 덕분에 어머니의 치료는 순조롭게 진행되어 수술을 잘 받으시고 퇴원을 하게 되었다. 수술 후 림프절에 전이가 없다는 좋은 경과에 모두 안심할 수 있었다. 무엇보다 우울해지기 쉬운 병원생활이었음에도 의료진들은 늘 웃으며 긍정적인 생각을 할 수 있도록 배려해주었다.

하지만 수술 후, 재발이나 전이를 방지하기 위해선 항암약물치료와 방사선치료를 진행해야 한다는 설명을 듣고 우리 가족은 또다시 많은 걱정과 근심을 하게 되었다. 수술이 끝나면 모든 치료가 끝난 거라 생각했던 우리는 또 다른 거대한 벽을 마주한 기분이었다.

'치료가 고통스럽지는 않을까? 텔레비전에서 보면 머리카락이 빠지기도 하고 구토를 하기도 하던데 우리 엄마도 그러는 건 아닐까? 환자복을 입은 모습조차 낯설고 마음 아팠는데, 그걸 어떻게 지켜보지?'

하지만 그건 기우에 불과했다. 종양내과 신상준 교수님은 편안하고 친근하게 어머니를 진료해주셨고 항암치료를 받는 내내 어머니는 두려움 없이 잘 마칠 수 있었다. 또 항상 웃으시는 모습이 인상적이었던 방사선종양학과 금웅섭 교수님께선 생소하기만 한 방사선치료에 대한 모든 것들을 늘 친절히, 단 한 번의 싫은 기색도 없이 설명해주셨다.

그래서인지 어머니께선 아직도 만나는 주변 분들마다 세브란스 의사선생님들이 모두 친절하고 따뜻하셨다고 자랑을 하고 다니신다.

"나는 의사 복이 많은 모양입니다."

어머니의 치료가 끝난 이 시점에서, 나는 감히 많은 암 환자들과 보호자분들께 전해드리고 싶은 얘기가 있다. 그건 바로, 우리 가족들처럼 항암약물치료와 방사선치료에 대한 잘못된 정보와 두려움 때문에 치료를 망설이거나 포기하시지 말라는 부탁의 말이다. 실제로 어머니께선 그런 선입견 때문에 치료를 거절하고 치료 시기를 놓치는 환자들을 너무나 안타까워하셨다.

물론 항암약물치료와 방사선치료를 동시에 받는 치료 기간이 힘들지 않았다면 거짓말일 것이다. 하지만 그 과정은 우리 가족 모두가 어머니와 함께 고통을 이겨내며 희망을 찾아가는 과정이었다고 말하고 싶다. 개인의 차이는 조금씩 있겠지만 사람들의 생각처럼 암 치료는 끔찍하지 않다. 암을 이겨내려고 노력하는 환자와 보호자는 물론, 의사선생님과 간호사 선생님을 비롯한 모든 직원들이 각자의 위치에서 최선을 다해 질병과 싸워가는 과정인 것이다. 그런 모든 분들을 보며 나 역시 용기를 낼 수 있었고, 그 힘으로 어머니를 간호할 수 있었다.

　3년이 되어가는 지금, 감사하게도 어머니께선 건강하시고 정기적인 외래진료를 받고 계시다. 아직도 '암'이라는 단어를 들으면 가슴이 철렁하지만 이번 경험을 통해 우리 가족 모두 어머니를 얼마나 사랑하는지, 그리고 소홀히 생각했던 가족의 소중함을 다시 한 번 깨달을 수 있었던 값진 시간이었다.

연예인이신 전영미 씨가 어머님의 치료를 옆에서 지켜보면서 수기를 보내셨다. 그 마음을 충분히 알 것 같다. 부모를 사랑하는 자식의 입장에서 부모의 암 진단 사실을 숨기려 하는 건 어쩌면 당연한지도 모른다. 그녀 역시 내게 그런 특별한 부탁을 했고, 나는 지켜주었다.

어머니는 적극적으로 수술과 치료에 임했고 수술 후 항암약물치료와 방사선치료도 잘 견디셨다. 그녀의 어머니를 보면서 항암치료에 대해 막연한 공포와 거부감을 가지기보다는 적극적인 자세로 임하는 것이 중요하다는 사실을 다시금 깨달았다. 또한 투병을 위해 가족들의 따뜻한 관심과 정서적인 지지가 큰 힘이 된다는 걸 느낄 수 있었다. 돌이켜보면 어머님은 가족들이 암이라고 말하지 않았어도 치료과정에서 본인이 암이란 것을 알아채시고, 거꾸로 가족들에게 내색하지 않고 더욱 의연히 치료를 견디신 것 같다는 생각이 든다.

# 03

# 어떤 치료 방법이
# 있을까?

병원에서 암이라는 진단을 받으면 대부분의 사람들
이 절망을 하게 된다. 하지만 이제 암은 관리만 잘하면 완치될 수 있는 질병
에 지나지 않는다. 그러려면 나를 괴롭히는 암을 어떻게 치료할 수 있는지에
대해 명확하게 알아야 한다. 대장암의 다양한 수술법부터 항암치료, 수술 후
관리까지 완치를 위한 모든 방법을 알아보자.

# 근치적 제거를 위한 수술

대장암 완치를 위한 최선의 선택은 단연 수술이다. 대장암의 수술은 환자의 상태에 따라 수술의 범위와 방법이 달라지는데, 여기에는 폴립 절제와 대장 절제, 개복과 복강경 그리고 로봇수술 등이 있다. 이처럼 다양한 수술법으로 대장암의 근치적 제거를 위한 여러 길을 모색할 수 있다.

## 초기에 암을 잡을 수 있는 내시경 절제술

초기 대장암은 내시경 절제 등 적절한 치료만 받으면 완치 가능성이 거의 100%에 이른다.

대장내시경 검사와 함께 CT 및 MRI 등의 영상의학 검사를 하는데, 이 검사들은 전이된 암을 판정하는 데에는 유용하지만 주변 림프절 전이 여부를 100% 예측할 수 있는 것은 아니다. 대장내시경 검사로는 내시경 육안 소견 및 색소내시경 등이 있는데, 종양이 점막하층을 뚫고 들어간 깊이를 추정하기도 한다. 이 검사를 통해 림프절 전이 위험도를 간접적으로 유추할 수 있다. 또한 내시경초음파를 보조적으로 사용하기도 한다.

**TIP 색소내시경**

색소내시경 검사는 대장
점막에 특수 색소(인디고
카르민)를 도포하여 육안
으로 구별이 어려운 대장
폴립을 잘 보이게 만드는
검사법으로, 작은 폴립을
찾는 데 우수하다.

이런 여러 가지의 검사를 통해 림프절 전이 위험도가 낮다고 판단되는 초기 대장암의 경우, 개복수술을 하지 않고도 내시경 절제술로 폴립을 제거할 수 있다고 보면 된다. 대장내시경 검사를 주기적으로 받아온 일반인들이라면 초기에 암을 발견해 내시경 절제만으로도 암을 완치할 수 있는 것이다. 내시경 절제술은 크게 내시경 올가미절제술과 내시경 점막하박리술로 나눈다.

### ● 간단하게 조기 대장암 잡는 내시경 올가미절제술

올가미절제술은 대장내시경 검사와 동일한 방법으로 내시경을 항문으로 삽입한 뒤 고주파 전류가 통하는 올가미를 이용하여 폴립을 절제하는 시술을 말한다. 이때 납작한 폴립은 점막 아래에 생리식염수를 주사한 후 병변을 부풀어 오르게 하여 올가미로 절제하기도 한다. 또한, 종양이 큰 경우에는 일괄절제하지 않고 분할절제를 할 수도 있다.

내시경 절제술로 조기 대장암의 완치를 기대하려면 충분히 수술할 수 있는 부분을 확보해야 한다. 또한 절제된 조직을 병리검사를 통해 절제면에 암세포가 남아 있지는 않은지, 암세포의 깊이가 어느 정도인지 등을 자세히 확인하기 위해서는 떼어낸 조직이 조각나지 않도록 일괄절제하는 것이 중요하다. 일괄절제 되어야 국소 재발을

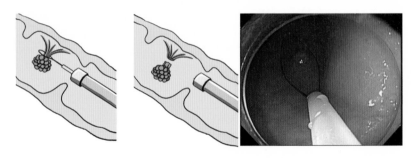

내시경 올가미절제술

예방하고, 절단면의 적절한 조직병리학적 평가가 가능하기 때문이
다. 이러한 조기 대장암의 내시경치료 원칙의 관점에서 볼 때, 병변
의 크기가 1~2cm 이하로 작은 경우에는 올가미절제술로도 일괄절
제가 가능하므로 올가미절제술을 받을 수 있다.

### ● 일괄절제로 큰 폴립 제거하는 내시경 점막하박리술

내시경 점막하박리술은 점막하층에 약물을 주입하여 병변을 부풀
린 뒤 병변의 360° 주위를 충분한 거리를 두고 내시경용 나이프로 절
개한 뒤 박리하여 한 덩어리로 절제한다.

병변의 크기가 2~3cm 이상이면서 줄기가 없는 경우에 올가미절
제술을 시도하면 일괄절제되지 못하고 분할절제되거나 절단된 면에
종양이 남는 경우가 있다. 이런 경우에는 내시경 점막하박리술로 일
괄절제를 한다. 내시경 점막하박리술은 이론적으로 병변의 크기에
상관없이 일괄절제가 가능하며, 한 덩어리로 일괄절제하기 때문에

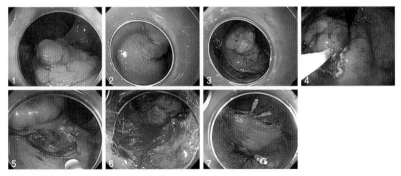

1 종양의 모습
2 점막하층에 약물을 주입해 종양이 부풀어 오른 모습
3~5 종양이 완전히 포함되도록 종양 하단부의 점막하층을 내시경용 나이프로 박리해나가는 모습
6, 7 종양을 모두 제거한 모습(출혈이나 천공을 막기 위해 클립을 거치함)

**내시경 점막하박리술**

병리학적으로 정확한 평가가 가능하다는 장점이 있다. 실제 여러 연구에서도 큰 대장 폴립에 대한 일괄절제 성공률이 80~90% 정도로 높게 보고되고 있다.

그러나 대장벽이 매우 얇기 때문에 내시경 점막하박리술을 시행할 경우 비교적 높은 천공 위험성이 있는 편이다. 또한 점막하박리술을 이용한 일괄절제에는 많은 시간이 걸린다. 따라서 초기 대장암이 의심되면서 병변의 크기가 2cm 이상으로 크고, 올가미를 이용한 전통적인 내시경 절제술 기법들로는 일괄절제가 불가능해 보이는

---

**TIP 대장 천공**

내시경 점막하박리술을 받다가 천공이 발생하는 경우가 있는데 대개 1천 명에 1명꼴로 발생하며, 발생하더라도 보존적 치료가 가능하고 복강경을 이용한 천공 봉합술도 가능하다. 그러므로 천공이 두려워 조기에 치료할 수 있는 대장암을 놓치는 일은 없어야 한다.

경우에 한해 내시경 점막하박리술을 시행한다.

대부분의 초기 대장암은 내시경 절제가 기술적으로는 가능하나 간혹 내시경 절제술로 절제하기 어려운 초기 대장암도 존재한다.

분할절제가 되면 병리 검토가 어려워져 추가 치료 방침이 곤란해질 수도 있고, 천공 등의 합병증이 발생할 수도 있다. 분할절제가 되어 병변이 남을 경우, 다시 내시경 절제술을 시도할 때 어려움을 겪게 된다. 따라서 내시경 절제술로 일괄절제가 어렵다고 판단되면, 처음부터 외과수술을 고려하거나 보다 경험이 많고 숙련된 내시경 전문의에게 의뢰하는 걸 고려해야 한다.

# 대장암 수술의 기본, 대장 절제술

대장암 수술의 기본은 근치적 절제술이다. 절제술은 암이 발견된 부위의 대장을 절제한 뒤 남아 있는 대장의 양 끝을 서로 이어주는 방식이다. 대장 절제술 이후 대장의 길이가 짧아져 초반에 약간의 불편감이 있지만 추후 적응 기간이 지나면 기능이 대부분 돌아와 일상생활에 큰 문제가 없다.

## ◉ 수술의 원칙
다른 부위의 암 수술과 마찬가지로, 암이 발생한 대장 부위와 주변 림프절이 포함된 장간막을 충분히 포함하여 광범위하게 절제하는 것을 원칙으로 한다. 아울러 각 대장 부위에 분포하는 혈관의 시작 부위에서 결찰

TIP 장간막이란?
장을 매달아 유지하는 복막의 일부분으로, 장간막 속에는 장에 혈액을 공급하는 혈관, 림프관, 신경 등이 분포되어 있으며 지방도 많다.

(혈관을 제거하는 것)하여 림프절을 철저히 제거한 것이 포함된 근치적 절제를 목표로 하고 있다.

◉ **암의 발병 위치에 따른 수술 방법**

대장에 생긴 암을 일컬어 통상적으로 대장암이라고 하지만, 암이 발병한 위치에 따라 수술 범위가 다르다. 대장암 절제술을 계획할 때는 대장 내 종양의 위치, 암의 병기 그리고 환자의 전신 상태 등에 대한 정보가 무엇보다도 중요하다. 이 중에서 암의 발병 위치에 따라 달라지는 수술 방법에 대해 살펴보자.

● 우반결장절제술 우반결장절제술은 상행결장에 암이 생겼을 때 시행한다. 몸의 우측에 있는 상행결장을 장간막과 함께 모두 제거하고 소장(회장)을 횡행결장에 문합하는 수술이다.

● 좌반결장절제술 하행결장에 암이 있을 때 좌반결장절제술을 시행한다. 횡행결장의 끝 부분 일부와 좌측의 하행결장 모두를 장간막과 함께 제거한 후 횡행결장을 에스결장에 문합하는 수술이다.

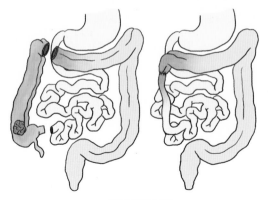

**우반결장절제술**

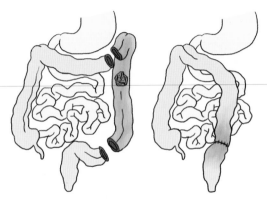

**좌반결장절제술**

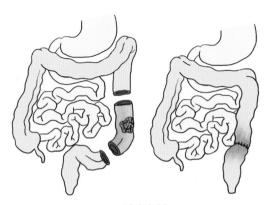

**전방절제술**

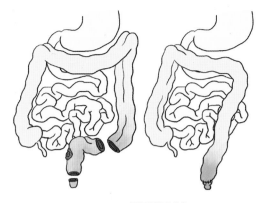

저위전방절제술

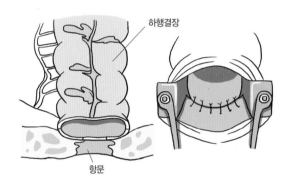

하행결장

항문

초저위전방절제술 및 수기 결장항문문합술

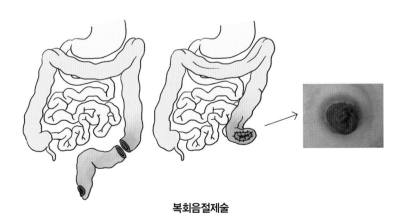

복회음절제술

● 전방절제술 에스결장에 암이 있을 때 시행한다. 에스결장을 절제하고 하행결장을 직장에 문합하는 수술이다.

● 저위전방절제술 직장에 암이 있을 때 항문을 보존하는 것이 가능한 경우 저위전방절제술을 시행한다. 직장을 제거하고 하행결장을 남은 직장에 문합하는 수술이다. 수술 시에 항문 보존이 가능한 경우는, 암의 위치가 항문에서 어느 정도 떨어져 있으면서 항문괄약근 및 인근 장기의 침범이 없을 때이다. 현재는 수술기기의 발달로 항문에서 매우 가까운 거리의 직장암의 경우도 항문 보존수술이 가능하다.

다만 수술 부위가 항문과 가까울수록 문합부 누출, 즉 장을 연결한 수술 부위가 벌어질 가능성이 크기 때문에 문합 부위 보호를 위해서 대변을 우회시키는 회장루를 만드는 수술을 받게 된다. 회장은 소장의 끝 부분을 의미하며, 회장루가 있으면 대변이 수술 부위를 지나가지 않고 바로 소장의 끝 부분을 통해서 나가기 때문에 문합부를 보호하는 안전장치가 된다. 일시적 회장루는 통상적으로 항암치료 등을 종료하고 환자 상태가 안정적일 때 복원수술을 받게 된다.

● 초저위전방절제술 및 수기 결장항문문합술 직장암이 항문에 매우 가까워 모든 직장을 제거하고 하행결장을 항문까지 내려 항문에서 수기로 문합하는 방법이다. 이 경우 일시적 회장루를 만들게 된다.

●복회음절제술 항문을 포함하여 직장을 모두 제거하고 하행 결장을 복부 바깥으로 고정시켜 장루를 만드는 수술이다. 대장암 환자들이 수술을 고려할 때 가장 두려워하는 점이 있다면, 수술 후 항문이 없어지지 않을까 하는 것이다. 그러나 하부 직장에 암이 있으면서 항문괄약근 침범이 있는 경우라면 항문을 보존하기 어려워 복회음절제술을 시행할 수밖에 없다. 항문의 보존보다는 생명의 보존이 우선하기 때문이다. 또한 최근에는 결장루를 위한 보조기구가 많이 개발되어 있어 결장루 조성술 후 삶의 질이 많이 좋아지고 있다.

●전결장절제술 가족성 폴립증, 유전성 비폴립성 대장직장암, 이시성 대장암(처음 대장암 발생 후 남아 있는 대장의 다른 부위에 또다시 암이 발생하는 경우), 대장암으로 인한 전체 대장의 혈액 순환 장애, 궤양성 대장염 등으로 인해 대장과 결장 전부를 절제하는 수술이다. 주로 루프형 회장루를 만들거나 말단형 회장루를 만들게 된다.

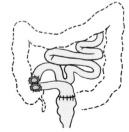

**전결장절제술**

●경항문국소절제술 직장에 생긴 초기

---

**TIP 회장루와 결장루**

장루는 인공 항문을 일컫는데, 위치에 따라 명칭이 다르다. 회장루는 수술 부위 보호를 위해 일시적으로 대변이 수술 부위를 지나가지 않고 소장 끝에서 우회해서 지나갈 수 있도록 만드는 장루로, 소장의 끝 부분(회장)을 복벽에 고정시킨 것이다. 반면 결장루는 질환으로 인해 항문 기능을 유지할 수 없을 때, 수술을 통해 병변을 제거하고 배변이 기능하도록 대장의 끝 부분을 복벽에 고정시킨 것이다.

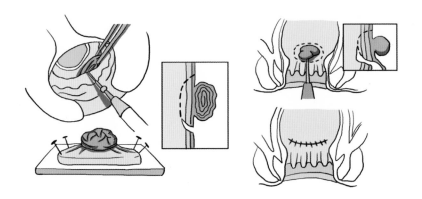

**경항문국소절제술**

직장암의 경우, 암이 생긴 위치가 항문에서 그리 멀지 않을 때 선별적으로 항문을 통해 암을 제거하는 방법이다. 보통 초기 직장암이면서 3cm 미만의 크기, 항문에서 8cm 이내에 위치, 종양의 뿌리가 깊지 않아 장벽에서 유동성이 있는 상태, 장의 둘레 안의 면적을 30% 미만으로 포함할 때, 분화도가 좋고 혈관 침윤 혹은 림프관 침윤이 없는 종양에 대해 시행할 수 있는 수술법이다. 방법은 항문을 통해 종양의 주변으로 국소적 절제술을 시행하며 비교적 간단하다. 최근에는 내시경 및 복강경 기술을 이용한 경항문절제술 수술기구 등이 개발되어 보다 안전하고 정확한 절제가 가능하게 되었다.

# 개복수술 vs. 복강경수술 vs. 로봇수술

대장암 수술의 방법은 크게 개복수술, 복강경수술 그리고 로봇수술로 나눌 수 있다. 개복수술은 가장 오래된 수술 방법으로 대장암 수술의 표준으로 수십 년 동안 시행돼 왔으며, 오랜 기간 그 안정성과 효과가 입증되었다. 복강경수술은 1980년대에 소개된 수술 방법으로 개복수술의 단점을 보완하는 장점에 주목해 큰 관심을 받고 있다. 또한, 로봇수술은 다른 수술 방법에 비해 역사가 짧지만 정밀한 동작으로 수술을 할 수 있다는 장점 때문에 전 세계적으로 많은 관심을 받는 수술 방법 중 하나이다.

대장암 완치에 한 걸음 더 다가가기 위해 각 수술 방법에 어떤 장단점이 있는지 알아보자.

## ◉ 시야가 넓고 정확한 개복수술

개복수술은 복부에 15~30cm 정도 상처를 내고 배를 갈라 진행하는 수술법이다. 집도의가 복강 내를 직접 눈으로 보기 때문에 시야가 넓고, 직접 손으로 만질 수 있어서 10개의 손가락을 효율적으로 사용할 수 있기 때문에 쉽고 빠른 수술이 가능하다. 대장암 절제를 개복수술로 할 경우, 암조직과 부근의 림프관을 완전히 도려내서 재발을 최소화하는 수술을 수월하게 할 수 있다.

그러나 다른 수술법에 비해 상처 부위가 커서 수술 후 통증이 오래

가고 미용상 좋지 않다. 또한 개복수술 후 바깥공기에 노출된 적이 없는 대장을 포함한 복강 내 장기가 외부 공기와 접촉하면서 장유착이 생길 수 있다.

## ◉ 상처가 적고 회복이 빠른 복강경수술

복강경수술은 먼저 복부에 아주 조그마한 3~5개의 구멍(지름 5~12mm)을 만들어 가스를 주입해 배를 부풀린다. 그런 후 실제보다 여러 배 확대할 수 있는 긴 막대모양 투침관을 삽입해 복강 안 영상을 보면서 병변을 확인하고 수술기구를 삽입하여 정밀하게 시행하는 수술법이다.

복강경수술은 개복수술에 비해서 적은 통증, 작은 흉터, 빠른 회복, 짧은 입원 기간 등의 장점으로 최근 그 적용이 급격히 증가하고 있다. 최근 많은 논문에서 개복수술과 비교하여 복강경수술이 재발률, 생존율 등에 차이가 없다는 사실이 발표되고 있다. 비교적 진행이 많이 되지 않은 대장암의 경우는 복강경수술의 좋은 적용 대상이다.

또한 대장암 복강경수술은 개복수술과 달리 수술 후 장유착 발생이 적은 편이며, 수술 시 개복하지 않으므로 소장에 자극을 적게 주어 장운동이 빨리 회복된다. 개복수술보다 수

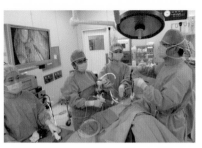

**복강경수술**

술시야가 더 잘 보이며 특히 좁은 골반 부위를 수술할 때 장점이 많다. 그러나 수술 전에 영상으로 진단이 안 된 병변을 간과할 수 있는 단점이 있으며, 대장암의 크기가 큰 경우나 주변 장기 침범 시에는 복강경수술을 하기가 힘들 수 있다.

## ● 사람 손과 같은 정밀한 로봇수술

로봇수술은 개복수술, 복강경수술과 함께 대표적인 수술법으로 자리 잡아가고 있다. 로봇수술은 기본적으로 복강경수술과 맥락을 같이 한다. 작은 구멍 5~6개에 막대모양 투침관을 통해 수술한다는 점은 복강경수술과 같다. 차이점은 배 안에서 이루어지는 부분이다.

복강경수술은 특수한 기구를 통해 수술을 진행하는데, 이 기구들은 긴 막대기 끝에 수술에 필요한 가위, 집게 등의 구조물이 있고 반대쪽 끝에 있는 손잡이를 통해 조작하는 구조여서 일반적으로 관절의 움직임에 제한이 있었다. 반면 로봇수술은 각종 수술기구가 부착된 로봇 팔을 작은 구멍을 통해 복강 내로 넣고 삽입된 로봇 팔을 밖에서 집도의가 조종하여 수술하는 방식으로, 로봇 팔의 움직임은 거의 사람의 손과 같은 자유로운 움직임을 가질 수 있다. 따라서 조금 더 정밀한 동작을 쉽게 할 수 있다는 장점이 있다.

직장암 수술 또한 이러한 로봇수술의 장점이 부각될 수 있는 분야로 기대되고 있다. 직장은 해부학적으로 골반 내에 깊숙이 위치하고 있으며, 특히 남자의 경우 골반의 넓이가 여자보다 좁기 때문에 수

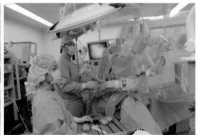

**로봇수술**

술의 난이도가 높은 편인데, 기존의 복강경수술보다 기계적인 장점, 즉 안정적인 수술시야 확보, 고화질의 수술 영상, 안정적인 견인 등이 있다. 로봇수술의 안정성과 치료 성적은 기존의 개복 및 복강경수술과 비교하여 안전한 것으로 보고되고 있다.

최근 성기능과 배뇨기능 보존율도 기존의 복강경수술보다 높다는 결과가 보고되고 있다. 그러나 아직 수술비가 보험 적용이 되지 않아 제한적으로 실시되고 있다는 한계가 있다.

대장암 로봇수술이 처음 시작된 것은 2002년이며, 아시아에서는 2005년, 우리나라에서는 2006년에 세브란스병원에서 처음 시작되어 많은 대장암 환자들이 치료를 받았다. 다른 수술 방법에 비해 역사가 짧지만 현재 전 세계적으로 가장 많은 관심을 받는 수술 방법 중 하나다.

# 항문 보존과 장루, 직장암 수술

## ● 항문 보존 여부로 나뉘는 직장암 수술

항문에서 가까운 위치에 암이 발견된 직장암 환자들은 먼저 항문을 살릴 수 있을까 걱정하게 된다. 그러나 너무 걱정하지 않아도 좋다. 근래 수술법의 발달로 과거에 비해서 항문을 살릴 수 있는 경우가 많아졌기 때문이다. 다만 환자의 상태 및 암 병변의 위치 등 여러 가지 상황을 고려하여 장루(인공 항문)를 조성하게 된다. 장루의 종류로는 일시적 장루와 영구 장루, 또는 회장루와 결장루로 나뉘게 된다. 일시적 장루와 영구 장루는 말 그대로 일시적 또는 영구적으로 변을 우회시키기 위해서 만든 장루를 말하며, 회장루는 소장을 장루로 만든 경우, 결장루는 대장을 장루로 만든 경우를 말한다.

직장암 수술에 따라서, 보통 저위전방절제술이나 초저위전방절제술의 경우 문합 부위 보호를 목적으로 일시적 회장루를 만드는 경우가 많으며, 복회음절제술의 경우 제거한 항문의 기능을 대신하기 위해 영구적으로 장루를 조성한다.

그 외에도 문합 부위의 누출 예방이나 문합 부위 누출 후 치료를 위해서, 대장의 감압(減壓, 압력을 낮춤), 심각한 항문 또는 직장 패혈증에 대한 우회로, 고식적 치료Palliative treatment 등을 위해서 장루를 조성하기도 한다.

## ◉ 대장의 기능을 대신해주는 장루 조성술

장루는 인공 항문을 말한다. 대장이 정상적인 기능을 하지 못하면 배변을 할 수 없으니 배변을 위해 당연히 필요한 부분이다. 다만 앞서 언급했듯이 모든 대장암 환자가 장루 조성술을 받는 건 아니다.

장루는 수술을 통해 장의 일부분을 복부 바깥으로 고정시킨 것으로 점액이 분비되어 항상 촉촉하며, 색깔은 붉고, 모양은 동그랗거나 타원형이다. 장루의 모양과 크기는 개인마다 다르며, 수술 후 며칠 동안은 부어 있다가 점차 작아지기 시작하여 수술 후 6~8주 정도 지나면 거의 정상적인 모양과 크기를 가지게 된다.

간혹 장루에서 피가 보이기도 하는데, 많은 양이 아니면 정상적인 출혈이다. 장에는 혈관 분포가 풍부하고 바깥으로 드러나 있는 점막

은 약하며 통증을 느끼는 신경이 없기 때문에 쉽게 상처를 받아 출혈이 된다. 출혈량이 많거나 지속적이면 의사와 장루전문 간호사에게 반드시 알려서 적절한 처치를 받아야 한다.

## ● 위치에 따른 장루의 종류

장루의 위치에 따른 차이는 다음의 표로 구분할 수 있다.

| | 회장루 | 횡행결장루 | 하행 · 에스결장루 |
|---|---|---|---|
| 위치 | | | |
| 만든 이유 | 대장을 모두 절제했거나 혹은 저위전방술이나 초저위전방술을 시행한 후, 일시적으로 병변이 있는 수술 부위인 대장으로 변이 통과하는 것을 막기 위함. | • 방광루(또는 질루) : 병변 부위 대장으로의 변 통과를 막기 위함.<br>• 장이 막힌 경우 : 변을 배출하기 위함. | 직장과 항문을 제거한 뒤 변 배출을 위함. |
| 위치 | 복부의 오른쪽 | 배꼽 위 오른쪽, 가운데, 왼쪽 중 한 부위<br>(대부분 왼쪽에 위치하는 경우가 많다) | 배꼽 왼쪽 아래 |
| 배설물 형태 | 수술 초기 : 1,000ml가량의 물변<br>수술 후 10일 : 500~700ml 가량의 죽과 같은 변 | 죽과 같은 변이 여러 번 배설된다. | 수술 전과 비슷한 정상 대변 |
| 냄새 | 결장루에 비해 적다. | 정상변과 같다. | 정상변과 같다. |
| 피부자극 | 소화효소가 많은 배설물로 인해 피부자극이 많이 생긴다. | 여분의 소화효소가 남아 있어 피부자극이 생길 수 있다. | 대부분 생기지 않는다. |
| 복원 가능성 | 대부분 일시적 | 대부분 일시적 | 대부분 영구적 |
| 점액변 | 좌욕을 하거나 항문 주위를 청결하게 닦아준다. | 주치의의 허락 후 좌욕을 하거나 항문 주위를 청결하게 닦아준다. | |

**장루의 위치에 따른 특징**

# 4기 대장암의 수술

대장암이 다른 장기들로 전이된 경우를 4기 대장암이라고 한다. 대장암의 전이는 진단과 동시에 발견되는 경우도 있고, 대장암 수술을 받고 일정 기간이 지난 뒤에 발견되는 경우도 있다. 이는 암은 국소질환이 아닌 전신질환으로 언제 어디서나 전이가 생길 수 있기 때문이며, 전이는 개인 특성에 따라 시기나 위치가 다양하다.

전이된 경우에도 수술이나 항암약물치료, 방사선치료로 완치될 수 있는 기회가 있다. 다른 암과는 달리, 대장암은 간이나 폐 등 제한된 곳에 전이된 경우에 수술을 권한다. 수술은 대장암과 전이된 곳의 암을 동시에 수술하기도 하며, 환자 상태에 따라 시간을 두고 순차적으로 수술하기도 한다. 전이암이 완전히 절제되면 완치되는 경우가 많다.

하지만 완치가 아닌 환자의 삶의 질을 높이고 생존 기간을 연장하기 위해서 수술을 시행하는 경우도 있다. 이러한 경우에는 환자 개인의 질병 상태뿐 아니라 환자와 가족의 의지, 사회적 지지환경 등을 고려하여 충분한 상담과 이해를 구한 후에 수술을 결정하게 된다.

# 대장암 수술을 받을 때 알아두어야 할 것들

일단 수술이 결정되면 의사는 환자의 상태를 다시 한 번 꼼꼼히 확인하고 동반 질환은 없는지, 전신 상태는 어떤지 확인하게 된다. 이 과정에서 필요하다면, 타과와의 협진을 통해 수술로 인한, 혹은 다른 원인으로 인한 합병증의 발생을 최소화하기 위한 노력을 하게 된다. 또한 마취의와도 협진을 통해 미리 환자의 상태를 알리고, 필요한 조치를 취하게 된다. 통상적으로 환자들은 수술 1~2일 전에 입원하여 수술 준비를 한다.

입원을 하게 되면 병동 담당간호사와 주치의에 의해 외래에서 시행한 검사 결과를 확인하고 환자 상태를 파악하여 전신마취 및 수술을 하는 데 문제가 없는지 확인한다. 또한 마취의에 의해서도 다시 한 번 확인을 하게 된다.

대개 수술 전날 오후부터는 수술을 위해 장 세척을 하고, 자정부터는 금식을 한다. 이후 수술 전 환자와 보호자는 주치의로부터 수술과 합병증에 대한 전반적인 설명을 듣고 수술동의서를 작성한다.

# 수술 후 관리

수술 후 몸의 기능에 변화가 생기는 것은 당연한 일인데, 대장암의 경우 배변 증상의 변화와 함께 여러 가지 합병증이 뒤따르게 된다. 또한 장루수술을 한 경우라면, 장루 관리에도 신경 써야 한다. 수술 후에 어떤 증상이 생기는지, 어떤 관리가 필요한지에 대해 미리 알아둔다면 작은 변화에도 당황하지 않을 수 있으며, 일상에 빨리 적응할 수 있을 것이다.

## 퇴원 후 나타나는 증상들

수술은 환자의 몸에 상처를 입히고 종양을 제거하는 치료 방법이다. 따라서 수술 후 몸에 변화가 생기는 것은 당연하다. 대장암 수술 후 나타나는 몸의 변화는 배변과 관련된 증상으로 이어지므로, 퇴원 후 당황하지 않고 변화에 빠르게 적응하기 위해서는 이 배변 증상들을 미리 숙지하는 것이 좋다. 대장암 수술 후 가장 두드러지게 나타날 수 있는 배변 변화를 알아보자.

●설사 설사는 우측 대장을 절제한 후에 많이 나타나는데, 이

는 우측 대장이 수분을 흡수하는 역할을 하기 때문이다. 시간이 지남에 따라 남아 있는 대장이 우측 대장이 했던 기능을 수행하게 되어 수술 후 몇 달이 지나면 설사 횟수도 줄어들고 변의 굳기도 정상화된다. 설사는 우측 대장을 절제한 환자에게 모두 나타나는 것은 아니며, 심한 정도도 개인에 따라 다르다.

●배변습관의 변화 좌측 대장을 제거한 경우에는 예측불허의 배변, 불규칙한 배변, 한꺼번에 여러 번 배변 후 며칠 동안 배변을 안 하는 등의 변화가 생기는데, 이는 대장운동과 관계가 있다. 좌측 대장은 무수한 교감 · 부교감 신경에 지배되는데, 이러한 미세 신경들이 수술하면서 끊어지게 되고, 이 때문에 대장운동도 많이 변화되기 때문이다.

●잦은 배변 직장암으로 직장의 일부 또는 거의 대부분을 절제한 경우에는 대변을 저장했다가 모아서 배출하는 직장이 없어져서 수술 후 변을 매우 자주 보는 증상이 나타날 수 있다. 심한 경우 하루에 30~40번 배변하는 경우도 있다. 남아 있는 직장의 용적에 따라 증상이 심하거나 덜하게 된다.

이러한 증상은 시간이 지나면서 점차 나아져, 대개 수술 후 6개월이 지나면서 호전되고 그 이후 수년에 걸쳐 점차 회복된다. 골반에 방사선치료를 받은 경우에는 증상이 회복되는 데 더 오랜 시간이 필요하다.

●무른 변이나 변실금 직장을 절제한 경우 가스 혹은 무른 변

에 대해서 변실금이 생길 수도 있다. 이는 직장의 절제로 인해 직장 용적이 감소하면서 변을 참지 못하게 되는 것이 원인이다. 직장에는 가스가 차 있는지, 변이 차 있는지를 구분할 수 있는 신경이 분포하는 것으로 알려져 있는데, 직장을 절제하면 이러한 감각신경 기능이 소실되어 가스와 변을 구분하지 못하는 경우가 있다. 이외에 항문괄약근 자체도 약해지게 된다.

이러한 이유들이 복합적으로 작용하여 본인도 모르는 사이에 대변이 나오거나, 변이 마렵다는 느낌을 참지 못하여 옷에 실수를 하고, 방귀를 뀌어도 변이 나오는 등의 변실금 증상이 나타날 수 있다. 그러나 수술 후 일정 기간이 지나면 점차 증상이 호전되며, 이 기간 동안 식사 조절과 적절한 약물로 증상을 조절하면 된다.

또한, 무른 변의 잦은 배변과 변실금으로 인해 항문 주위의 피부 손상이 나타날 수 있다. 이를 관리하기 위해 피부 세정과 보습제 및 피부보호제를 사용한다. 이와 더불어 괄약근운동을 통한 골반저근육 강화로 증상을 조절할 수 있다.

# 합병증의 관리

수술 후 합병증은 다양하게 나타나는데, 치료가 특별히 필요치 않고 관찰하면 호전되는 것이 있는 반면, 치료를 요하는 것들도 있다. 따라서 수술 후 발생할 수 있는 합병증에 대해 충분히 알고 있다면 대부분 극복할 수 있을 것이다.

- ●폐 합병증 일반적으로 수술 후 48시간 내 발현하며, 흔한 합병증으로는 무기폐, 폐렴, 기관지염, 늑막염, 폐 색전증 등이 있다. 주로 폐에 가래가 고여서 생기며, 이로 인해 수술 후 고열이 발생할 수 있다. 수술 후 폐 합병증을 예방하기 위해서는 심호흡, 기침, 가래 뱉어내기 등을 해야 한다.
- ●수술 후 출혈 수술 후 문합 부위를 비롯해 절제 부위에서 출혈이 있을 수 있다. 출혈이 미미한 경우에는 경과 관찰이 가능하나, 심한 경우에는 시술이나 재수술이 필요한 경우도 있다.
- ●문합부 누출 대장을 절제한 후 대장과 대장을 이은 문합부가 잘 아물지 않아서 장 내용물이 문합 부위를 통해 장 밖으로 새는 경우에 생긴다. 이런 경우 입원 기간이 길어지거나 재수술이 필요하기도 하다.

특히 직장암 수술의 경우가 대장암 수술에 비해 더 흔하게 발생하는데, 누출된 상태에 따라 비수술적 치료 혹은 수술적

치료를 하게 된다. 간혹 문합부 누출 부위로 배변이 오염되지 않도록 일시적으로 장루 조성술을 시행하는 경우도 있다.

●수술 상처 감염 상처 부위가 감염된 경우에는 감염 부위의 피부가 붉어지며 열이 나기도 하고, 농이 나타나기도 한다. 이런 경우에는 배농과 소독을 한 뒤 치유되기를 기다린다.

대장은 대변이 있었던 곳이기 때문에 많은 세균이 있다. 수술 전에 장 세척을 하는 이유 중 하나이기도 하다. 그래서 간혹 수술 후 봉합 부위에 감염이 생겨 잘 아물지 않거나 곪는 경우가 발생할 수 있다. 이런 경우 수일 후 상처를 치료하면 자연치유 되거나 상처가 깊으면 재봉합을 하게 된다. 드물지만 복강 내에 농양이 생기는 경우가 있는데, 항생제 치료와 농양을 배액해야 하는 경우도 있다.

●통증 수술 부위와 주변으로 통증이 있을 수 있으며, 수술 시 오랫동안 같은 자세를 취해 허리와 어깨, 목 등에 통증이 있을 수 있다. 일반적으로 수술 후 2~3일이 지나면 통증이 줄어드나, 지속되는 경우에는 필요하다면 추가 진통제로 통증을 조

---

**TIP 항문 통증을 줄여주는 좌욕**

좌욕이란 따뜻한 물에 항문을 포함한 엉덩이를 담그는 것으로, 항문 부위의 상처 치유를 촉진시키고 항문 부위 및 주위의 통증을 경감시키는 효과가 있다. 보통 하루 3~4회, 1회에 5~10분 정도 하는 것이 권고되지만 주치의나 간호사의 지시에 따르는 것이 좋다. 물은 38℃ 이하가 적당하며, 손을 넣었을 때 뜨겁지 않은 정도가 좋다. 주치의의 지시에 따라 소독제를 좌욕물에 섞기도 하지만 보통 깨끗한 수돗물이면 무방하다. 좌욕물은 좌욕기에 담아 사용하는데 좌욕기가 없는 경우에는 비슷한 용기를 사용해도 된다.

절할 수 있다.

● 항문 통증 수술 후 항문 주위로 통증이 발생할 수 있다. 주로 직장과 에스결장 수술을 시행한 경우에 항문을 통해 문합 기계가 들어가기 때문에 통증이 발생할 수 있고, 화장실에 자주 가게 되어 항문 주위 피부가 헐어 통증이 발생할 수 있다. 이런 경우에는 배변 후 휴지를 사용하기보다는 샤워기를 이용해 따뜻한 물로 씻는 것이 좋다. 샤워기를 이용하는 것은 항문을 두드리는 마사지 효과와 항문이나 회음부의 불결한 이물질을 제거하는 세척 효과가 있기 때문이다. 비누는 피부를 더 자극시키기 때문에 사용하지 않는 것이 좋으며, 비데는 사용해도 무방하나 물의 압력이 너무 세서 피부 손상이 더 심해지지 않도록 주의해야 한다.

물로 씻은 후에는 마른 수건을 사용하되, 문지르지 말고 꾹꾹 눌러서 물기를 없애는 것이 좋다. 속옷은 많이 달라붙지 않는 것을 착용한다. 땀이 많이 난다면 베이비파우더를 항문 주위에 바르는 것도 도움이 된다.

● 장유착 및 장폐색 복강 내에 있는 장기들, 즉 위, 소장, 대장, 복막 등은 서로 들러붙지 않고 미끄러지도록 되어 있다. 수술을 시행한 경우, 이렇게 서로 들러붙지 않는 현상이 줄어들어 장이 배와 달라붙거나 장끼리 서로 달라붙는 현상이 있을 수 있다. 이러한 현상을 유착이라고 하고, 소장이나 대장이 복강

내에서 다른 부위에 달라붙는 것을 장유착이라고 한다.

장이 꼬이거나 꺾인 상태에서 유착이 일어나면 장 내용물이 밑으로 내려가지 않는 장폐색 증상이 나타나게 된다. 장유착에 의한 장폐색은 수술 후 발생하는 가장 흔한 합병증 중의 하나이며, 이를 예방하기 위해서는 수술 다음 날부터 보조기 등을 이용하여 걷는 운동을 시작하는 것이 좋다. 수술 후 장유착이 생겨 장폐색이 지속된다면 금식을 하고 입원 치료를 하게 된다. 심한 경우 일부 재수술을 시행하기도 한다.

퇴원 후에는 유착의 예방보다 식사관리를 어떻게 하느냐가 더 중요하며, 유착에 의한 장폐색 증상(복통, 구토, 발열 등)을

보일 경우 무리하게 식사를 하는 것보다는 병원을 방문해 적절한 치료를 받는 것이 중요하다. 이러한 장폐색을 예방하기 위해 퇴원 이후에는 적당한 양의 식사를 소량씩 자주, 소화되기 쉬운 상태로 고루 섭취하고, 질기고 단단한 음식, 변비 유발 음식, 차가운 음식을 피한다. 따뜻한 복부 패드로 복부를 찜질하며, 가벼운 운동을 하여 장운동을 돕는다.

● 배뇨 장애 에스결장암 또는 직장암 수술 시 배뇨기능에 관여하는 신경이 다치거나 절제되면 장애가 발생할 수 있다. 보통 수술 시에는 신경이 다치거나 절제되지 않으나, 암이 진행되어 신경을 침범하거나 신경에 가까운 경우에는 신경이 다치거나 절제될 가능성이 있다. 또한 신경이 다치거나 절제되지 않더라도 대장암 절제수술로 인해 신경으로 가는 혈액 공급이 차단되거나 수술 시 지나친 견인으로 일시적으로 배뇨 장애가 나타날 수 있다. 이런 경우 입원 기간에 대부분 회복된다.

배뇨 장애가 있는 경우, 수술 후 제거했던 배뇨관을 재삽입하기도 한다. 배뇨관 제거 후에도 배뇨가 불가능하거나 불완전한 경우도 있으나 시간이 경과하면 대부분 정상으로 돌아오게 된다. 간혹 회복되기까지 배뇨기능을 도와주는 약을 복용하기도 한다.

● 성기능 장애 수술 후 성기능 장애는 수술로 인한 원인보다는 암으로 인해 느끼는 불안감, 스트레스 등이 더 큰 원인인

경우가 많다. 이러한 경우 가족과 배우자의 포용과 이해가 필요하다. 더불어 의사와의 상담을 통해 도움을 받을 수 있다.

다른 원인으로 암이 성기능 신경에 침범하거나 근접한 경우가 있는데, 이때는 불가피하게 신경을 절제하기도 한다. 또한 신경을 절제하지 않더라도 신경으로 가는 혈액 공급이 차단되어 수술 후 성기능 장애가 나타날 수 있다. 이러한 증상은 시간이 지나면서 서서히 정상으로 돌아오기도 한다. 일부 증상이 오래 지속된다면 호전될 때까지 비뇨기과나 산부인과의 진료가 필요하므로 주치의와 상의해야 한다.

수술 후 규칙적인 생활과 금주, 금연을 실천하고 올바른 식생활을 유지하다 보면 오히려 수술 전보다 가족과 함께하는 시간도 늘고, 부부간의 관계도 더욱 좋아질 것이다. 또한 가족 간에 애정 표현을 많이 하면 정신적으로 안정되고 암을 이겨낼 수 있는 정신력과 면역 능력이 더욱 강해질 수 있다.

# 장루 관리 어렵지 않다

항문의 기능을 대신해 인위적으로 몸에 부착한 항문, 장루. 새로운 삶의 방식을 두려워하기보다 올바른 관리법을 습관처럼 만들어 이에 익숙해지는 것이 중요하다. 장루 조성술을 받았다고 하더라도 정상적인 생활을 하는 데는 아무런 문제가 없다. 다만 다음과 같이 몇 가지 주의할 점은 염두에 두어야 한다.

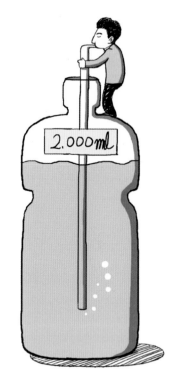

## ● 수분 섭취 조절이 필요하다

장루 조성술을 한 환자는 수분 섭취에 많은 관심을 기울여야 한다. 대장으로 조성된 결장루인 경우에는 변비가 생기지 않도록 충분한 수분 섭취가 필요하며, 소장으로 조성된 회장루인 경우에는 수분과 소화액을 포함한 배설물이 배출되기 때문에 충분한 수분 섭취가 이루어지지 않으면 쉽게 탈수가 일어날 수 있다. 회장루의 경우 장루로 배출되는 배액량은 하루에 약 1,200~1,500ml다. 수분 섭취가 너무 적게 되면 탈수 및 전해질 불균형 상태가 되기 쉽고 소변량이 적어지므로 비뇨기계 결석이 생기는 경향이 있다.

대개 너무 많은 수분 섭취는 배액량의 증가를 초래하여 장루 관리의 불편함을 야기하므로 하루 1,500~2,000ml의 수분 섭취가 적당하다고 할 수 있다. 장루 조성술 후에는 고단백, 고탄수화물, 고칼로리의 저잔사 식사(장 수술을 전후하여 변의 양과 빈도를 줄이기 위해 실

시하는 식사요법)를 한다. 그리고 비타민 A · D · E · K · B$_{21}$의 보충제
가 필요하다.

### ● 소화에 도움되는 식습관으로 식사관리를 철저하게 한다

장루 조성술을 한 환자는 설사나 불편감을 일으킬 수 있는 음식물
은 되도록 피한다. 회장루의 경우 고섬유소 음식의 섭취로 인해 소
화가 되지 못한 음식물이 장내에서 장폐색을 초래하기도 하므로, 특
히 수술 후 6주간은 장폐색을 유발하는 음식은 삼가는 것이 좋다.

장루를 가진 환자는 음식을 잘 씹어 먹어야 하는데, 이것은 장을
통과하는 시간이 짧아져 음식물을 잘 씹지 않게 되면 음식물이 소화
되지 않은 채 통과하게 되어 영양 섭취가 정상적으로 이루어지지 않
기 때문이다. 섭취한 음식물은 4~6시간 내에 장루로 배설된다. 따
라서 잠자리에 들 시간에 많은 양의 식사를 하는 것은 좋지 않다.

장루 조성술을 한 환자들은 수술 후 섬유소가 많은 음식이 치료식
으로도 용이하다고 여겨 다량 섭취하는 경우가 있는데, 이는 설사나
장폐색 등의 증상을 유발시킬 수 있다. 따라서 수술 후에는 섬유소
가 다량 함유된 채소류는 데치거나 익혀서 섭취하는 것이 좋다. 또
한 수술 전 종양으로 인한 장폐색으로 식이에 제한을 받았던 환자의
경우, 수술 후 이러한 문제가 해결되었다고 여겨 식이 섭취에 주의
를 기울이지 않으면 장폐색을 다시 경험하기도 한다.

대부분의 환자가 수술 후 체중감소를 호소하기도 하지만 점차적

으로 체중이 증가하게 되며, 일부에서는 오히려 열량 섭취를 제한해야 하는 정도까지 체중이 증가하여 장루 탈장을 경험하기도 하기 때문에 체중 조절에 유의해야 한다.

### ● 수술 전과 다름없이 목욕이 가능하다

장루를 가진 환자도 수술 전과 다름없이 목욕을 할 수 있다. 간단한 샤워를 할 때는 문제가 없으나 욕조 목욕 중에는 배설물이 나올 수 있으므로 장루 주머니를 부착하고 목욕을 하는 것이 안전하다. 물이나 비누는 장루에 해롭지 않고 장루 속으로 들어가는 일이 없으므로 안심해도 된다. 장루 주머니가 목욕으로 인해 접착이 약화되는 것을 예방하기 위해 방수를 도와주는 필름 제품을 사용할 수도 있다. 그러나 찜질방, 사우나 등은 의료진과 상의한 후 이용하는 게 좋다.

### ● 압박하는 옷차림을 피한다

장루 수술을 했다고 하여 입는 옷에 특별히 신경 쓸 필요는 없다. 다만, 장루 부위를 직접 압박하는 허리끈이나 벨트 등은 피하는 것이 좋다.

장루 수술 후에는 의복 밖으로 표시가 나지 않을까 하는 두려움이 커진다. 그러나 수술 전에 했던 모든 활동들을 거의 다 할 수 있으며, 직장생활도 당연히 가능하다. 장루로 인해 사회활동에 제한을 받는 것은 신체적인 제한보다는 정신적인 두려움이 더 크므로 가족

들의 긍정적인 지지가 많은 도움이 된다. 장루를 가진 환자는 장루 관리 수칙을 잘 지키고 주변의 따뜻한 배려가 있으면 가정 및 사회 생활을 잘 해나갈 수 있다.

### ◉ 장루용품을 챙기면 여행도 문제없다

장루로 인해 외출이나 여행에 제한받는 일은 매우 드물다. 외출 시에는 항상 장루용품을 소지하도록 하며, 장루 주머니의 무게를 줄 이기 위해 장루용 벨트를 착용한다.

여행을 할 때는 여분의 피부 보호판과 장루 주머니를 충분히 준비 하도록 한다. 또한 비행기 여행 시에는 장루 환자임을 증명하는 증 명서를 지참하면 도움을 얻을 수 있으므로 장루전문 간호사와 상의

하도록 한다. 익숙하지 않은 여행지의 물은 설사를 일으키기 쉬우므로 시중에서 파는 물을 사 먹거나 끓여서 먹는 것이 좋다.

## ● 영구적인 장루 조성술을 받았을 때 주의할 점

영구적인 장루 조성술을 할 때는 대부분 항문 주위도 함께 수술하기 때문에 수술 직후부터 길게는 1년 이상 오래 앉아 있는 것이 불편할 수 있다. 이때는 푹신한 솜을 이용하여 도넛 모양의 방석이나 쿠션을 만들어 사용함으로써 항문 주위가 직접적으로 압박되지 않도록 한다. 수술 후에도 항문으로 변이 마려운 느낌이 생길 수 있으며, 이런 느낌은 환자에 따라 오랫동안 나타나기도 한다.

성생활은 수술에서 회복된 후 부부의 적극적인 협조로 이루어질 수 있다. 성관계 직전에는 장루 주머니를 눈에 띄지 않는 작은 것으로 바꾸거나 자세를 변경하는 등의 방식으로 성생활을 할 수 있고, 임신 역시 가능하다. 다른 문의사항이 있다면 산부인과나 비뇨기과 전문의와 상담하여 도움을 받도록 한다.

# 대장암의 항암약물치료

영화나 드라마에서 항암약물치료를 받는 환자들을 표현할 때는 반드시 탈모, 구토와 같은 '극심한 고통'이 따라붙는다. 실제로 메스꺼움이나 탈모, 구토, 식욕부진의 증상들이 나타날 수 있지만 항암약물치료는 전신에 퍼져 있는 암세포를 효과적으로 제거하기 위한 치료로, 재발의 위험을 낮추고 완치율을 높인다. 따라서 환자들이나 보호자들은 항암제에 대한 부정적인 인식을 전환하고 치료에 적극적인 자세로 임할 필요가 있다.

## 항암약물치료에 대한 오해와 진실

### ◉ 수술 후 꼭 항암약물치료를 받아야 하나?

완전절제를 받은 환자에게 재발이란 그야말로 청천벽력일 것이다. 그러나 미리 두려워할 필요는 없다. 재발을 막기 위한 항암약물치료가 있기 때문이다.

수술이 잘되어 대장암을 완전히 제거했더라도, 이미 진행된 대장암의 경우 현미경으로도 보이지 않는 미세한 암세포들이 몸 안에 남아 있는 경우가 있다. 이러한 눈에 보이지 않는 미세 암세포가 남아 있다가 일정 기간이 지나면 재발을 일으키게 된다. 따라서 수술이 잘되었어도 위험요인이 있는 2기 환자, 혹은 주변 림프절까지 전이가 있는 3기의 환자에게 항암약물치료를 시행하게 되는데 이를 보조항암약물치료라고 한다. 이는 수술 후 완치율을 향상시키고 재발률을 감소시키기 위해 시행되며, 일반적으로 재발률을 30~40% 정도 감소시킬 수 있다.

항암약물치료는 암을 완전히 절제한 환자에게 6개월 동안 시행한다. 그러나 항암약물치료 기간을 연장한다고 해서 재발이 줄어든다는 근거는 없으며, 이미 진행된 임상연구를 통해 6개월과 6개월 이상의 항암제 투여 기간을 비교한 결과 재발률의 차이가 없었다.

또한 항암제의 투여 기간이 길어지면 항암제의 독성으로 인한 문제점이 발생하게 된다. 따라서 현재 수술로써 완전절제된 고위험 2기, 3기 대장암 환자는 6개월간의 보조항암약물치료가 표준 치료이다. 그러나 수술을 했어도 암의 일부가 남아 있거나 수술이 불가능한 경우에는 치료 기간이 정해져 있지 않으며, 항암제를 투여하면서 정기적인 CT 등의 검사를 통해 병의 상태를 면밀히 관찰하면서 투여 기간을 결정하게 된다. 또한 항암제를 투여하면서 환자의 건강 상태나 부작용의 정도 등에 따라 항암제 선택이나 치료 기간은 달라질 수 있다.

## ● 항암약물치료는 부작용이 심각하다?

항암약물치료를 해야 한다는 이야기를 들으면 지레 겁을 먹거나 두려움을 갖게 되는데, 대장암에 사용하는 항암제들은 부작용이 심하지 않은 편이니 크게 두려워할 필요가 없다. 항암제는 암세포를 사멸하게 하지만, 빨리 자라는 정상세포에도 영향을 미쳐 부작용이 나타난다. 그래서 이에 대해 올바른 이해가 필요하다.

일반적인 부작용으로는 항암제 투여 후 수일간 오심, 구토, 식욕 저하, 구내염, 설사, 탈모, 신경독성 등의 증상이 있을 수 있다. 그러나 다행히 최근에는 구토억제제가 많이 개발되어 예전보다 오심, 구토 등의 증상은 많이 호전되었다. 또한, 약제에 따라 부작용이 다르며 대장암에 사용하는 약제는 탈모가 심하지 않다. 부작용이 심할 경우에는 증상 완화를 위한 약제 투여 혹은 용량 감량 등의 여러 방법을 통해 부작용을 줄여나가고 있다.

항암제는 암을 치료하는 무기에 비유할 수 있다. 대장암에는 이런 무기의 종류가 많지 않기 때문에 가능한 효과 있는 무기를 적절히 적시에 쓰는 것이 중요하다. 물론 탈모가 환자에게는 중요한 문제인 것을 충분히 알고 있지만, 약을 선정하기 위해, 즉 무기를 고르는 데 있어서 가장 중요한 것은 탈모보다는 암 제거에 얼마나 효과적이냐는 것이다.

## ● 진행 병기와 목적에 따라 달라지는 항암제

같은 대장암이라고 하더라도 항암제는 병기에 따라 다르게 사용된다. 항암제의 투여 목적은 크게 2가지로 나뉘는데, 수술 후 재발을 감소하기 위한 목적으로 고위험군 2기 혹은 3기 환자에게 사용되는 보조적 항암요법과, 이미 원격 전이가 있는 4기 환자에게 수술적 절제를 가능하게 하는 목적 혹은 삶의 연장, 삶의 질 향상을 목적으로 하는 완화적 항암요법으로 사용될 수 있다. 항암제를 사용할 때에는 환자의 병기, 대장암의 종류, 전신 상태, 연령 등 여러 가지 요소를 고려하여 처방한다.

●플루오로우라실(5-fluorouracil) 대장암의 항암제 중에 가장 대표적이며 오래된 항암제다. 외래에서 5분 정도 맞는 방법이 있고, 24~48시간 동안 지속적으로 투여받는 방법이 있다. 대표적인 부작용으로는 구내염, 설사, 수족 증후군, 피부색 변화

및 백혈구 감소증(호중구 감소증), 빈혈, 혈소판 감소증 등이 있으며, 부작용의 정도에 따라 용량을 조절한다.

●젤로다(Xeloda®, Capecitabine) 플루오로우라실을 먹는 약으로 만든 것으로, 주사제가 아니기 때문에 주사 투여를 위한 케모포트 삽입술이나 항암제 주입을 위한 입원 치료를 할 필요가 없는 장점이 있다. 그러나 먹는 약이라고 하더라도 부작용이 완전히 없는 약은 아니며, 플루오로우라실과 비슷한 정도의 부작용이 있다. 다만, 수족 증후군이 플루오로우라실보다 10~20% 환자에서 좀 더 흔하게 발생하기도 한다.

●옥살리플라틴(Oxaliplatin) 3기 환자의 수술 후 보조적 항암요법이나 4기 환자에게 쓰이는 대표적인 항암제로, 2시간 동안 혈관을 통해 투여받는 항암제다. 대표적인 부작용으로 신경독성이 있으며, 투여 후 1일 이내에 발생하는 급성 신경독성과 수차례 투여 후 생기는 만성 신경독성이 있다.

급성 신경독성은 차가운 물건을 만질 때 찌릿한 저린감이 발행할 수 있으며, 찬물을 마실 때 갑작스런 호흡곤란이 발

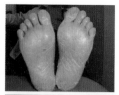

# 케모포트 삽입술

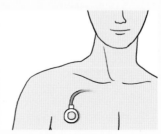

케모포트 삽입술이란 항암제 주입을 원활하게 하기 위해 큰 혈관에 관을 삽입하는 방법이다. 피부 밑에 포트를 삽입하기 때문에 육안상으로 잘 보이지 않으며, 500원짜리 동전 크기의 물체가 피부 밑에 만져진다.

**케모포트 소독 및 실밥 제거** 케모포트를 삽입한 후에는 이틀에 한 번 소독을 하며, 실밥은 2주 후에 제거한다. 실밥을 제거한 후에는 정기적인 소독은 하지 않아도 되며, 샤워나 욕조 목욕이 가능하다.

**케모포트 삽입 후 주의사항** 시술 당일 케모포트를 삽입한 반대편으로 누워서 자는 게 좋다. 케모포트가 뒤집어지는 것을 방지하기 위해 삽입 후 이틀 동안 포트를 넣은 쪽의 팔 사용은 자제하고, 무거운 것은 들지 않도록 한다.

**헤파린 주입** 케모포트를 장기간 사용하지 않을 때는 포트가 막히지 않도록 병원에 방문하여 헤파린 용액 5ml를 1~3개월 간격으로 주입해야 한다.

**병원에 방문해야 하는 경우** 열이 나거나 포트가 피부 밖으로 나왔을 경우, 포트 주변으로 붓고 발적 및 통증이 있으면 즉시 병원에 방문하여 도움을 받도록 한다.

**케모포트 제거** 항암치료가 종결된 후 케모포트 제거를 원하는 경우에는 주치의와 상의한 후 제거할 수 있다.

생할 수 있다. 따라서 찬 물건을 만지거나 찬물을 마실 때 주의를 요한다. 또한 옥살리플라틴을 지속적으로 투여받게 되면 손과 발이 저리는 증상이 발생할 수 있으며, 투여 종료 후 2년이 지나면 대부분 호전된다.

●이리노테칸(Irinotecan) 4기 대장암 환자에게 효과적인 약제로, 가장 대표적인 부작용으로는 설사가 있다. 대부분의 설사는 경미하여 설사억제제를 투여하면 호전된다. 설사가 심할 때는 탈수 방지를 위해 충분한 수분 섭취를 하는 것이 좋으며, 설사억제제 투여 후에도 호전되지 않는다면 의료진과 상의한 후 입원 치료를 하는 경우도 있다.

# 수술 전과 후가 다른 항암약물치료

## ● 수술 전 항암약물치료로 완전절제를 꿈꾼다

대장암의 경우, 주변 장기나 중요 혈관 등으로 완전절제가 불가능하거나 어려울 때 수술 전에 항암약물치료를 먼저 한다. 또는 수술적인 절제가 어려운 다발성 간 전이, 폐 전이가 동반되어 동시절제가 힘들 때 항암약물치료를 먼저 실시한 후 수술적인 절제가 가능한 정도까지 병변의 크기가 줄어들면 수술을 진행하는 경우가 있다. 물론 모든 환자들이 항암약물치료를 하면 수술이 가능한 상태로 되는 것은 아니다. 또한, 대장 외의 장기에 대한 수술을 고려할 경우에는 각 과의 전문가들이 다학제적 접근을 통해 최종 결정하고 있다.

직장암의 경우, 병변이 항문에 가까워 바로 수술을 하면 항문을 살릴 수 없을 때, 또는 림프절 전이나 장막하층까지의 침범이 의심될 때 수술 전에 동시항암약물방사선치료를 시행한다. 이는 동시항암약물방사선치료를 통해 암 덩어리의 크기가 줄어들면 수술이 좀더 용이해지고 완전절제의 가능성이 높아질 뿐만 아니라, 항문을 살릴 기회가 생길 수 있기 때문이다.

또한 수술 전 동시항암약물방사선치료가 수술 후에 시행하는 것보다 방사선에 의한 부작용을 줄일 수 있어 점점 그 빈도가 증가되고 있다. 다만 모든 직장암 환자가 수술 전 동시항암약물방사선치료가 필요한 것은 아니므로 각 전문가의 다학제적 결정이 필요하다.

### ◉ 수술 후 항암약물치료는 어떻게 이뤄지나

● 대장암 수술 후 3기에서는 플루오로우라실이라는 항암제와 옥살리플라틴이라는 2가지 항암제를 6개월간 2주마다 한 번씩 총 12회를 투여받게 된다. 병원에 따라 다르지만 케모포트(혈관 내 삽입기)를 통해 외래에서도 투여가 가능하다. 또는 플루오로우라실을 먹는 약으로 만든 젤로다와 옥살리플라틴을 투여받을 수도 있다.

● 직장암 수술 후 수술 전 동시항암약물방사선치료를 받은 경

우는 플루오로우라실로 외래에서 5일간 4주 간격으로 4회 투여받게 된다. 수술 전 동시항암약물방사선치료를 받지 않은 경우는 플루오로우라실로 외래에서 5일간 4주 간격으로 6회 투여받게 되며, 3~4회 투여 시에는 6주간 방사선치료를 함께 받게 된다. 아직 보험 적용이 되지 않지만 플루오로우라실을 먹는 약으로 만든 젤로다를 투여받을 수도 있다.

●고위험의 경우 2기 대장암이라 하더라도 재발 가능성이 높은 고위험 2기 대장암의 경우는 3기에 준하여 항암약물치료를 받아야 한다. 고위험 2기 대장암이란, 장막 침범, 장 천공, 장폐색, 조직 분화도가 나쁜 경우, 정맥 침범 등 이 중에서 하나 이상의 소견을 가진 경우를 말한다.

## ◉ 표적치료제로 전이암 잡는다

암 치료에 있어서 때로는 특별한 약제를 사용해야 하는 경우가 있다. 전이성 암일 경우인데, 암의 크기를 줄여주거나 생존 기간의 연장을 위해 사용하는 표적치료제가 그것이다. 즉, 표적치료제는 전이성 암에 국한해서 사용된다.

일반적인 항암치료제는 암만을 공격하는 것이 아니라 빨리 자라는 세포를 공격하기 때문에 정상적인 세포들도 공격하게 된다. 이로 인해 백혈구 감소증, 빈혈, 혈소판 감소증이나 설사, 구내염, 신경독성 등을 유발한다. 표적치료제는, 우리 몸에 있는 암세포에 존재하

며 암세포의 성장, 분화, 전이 등을 촉진시켜 암이 자라게 만드는 분자를 표적으로 하여 억제하는 역할을 함으로써, 정상세포에는 부작용을 줄이고 암세포만 특이적으로 공격한다.

대장암에서 사용되는 대표적인 표적 약제는 혈관 생성을 억제하는 아바스틴Avastin이라는 약과 표피 성장인자 수용체를 억제하는 얼비툭스Erbitux라는 약이 대표적이다. 이 표적 약제들은 이론적으로 정상세포에는 손상을 주지 않고 암세포만 특이적으로 공격하면서 대장암 항암치료의 효과를 높이고 부작용을 최소화할 수 있다.

---

**TIP** 표적치료제의 부담

표적치료제의 경우 안타깝게도 아직은 정부차원에서 환자의 부담을 줄여주지 못하는 상황이어서 약값 전액을 환자가 부담해야 한다. 한 달에 약값으로만 몇 백만 원이 들어가는 고가의 항암제로, 실제 임상에서 환자들에게 사용하기에는 제한점이 있다. 하지만 표적치료제를 병용 투여했을 경우, 수술 불가능한 경우에도 수술이 가능하게 되는 경우가 10~20% 정도 증가하게 되며, 4개월 정도의 생명 연장의 효과를 볼 수 있다. 따라서 향후 정부차원에서 대장암 환자의 부담을 줄여주는 정책이 나올 것이라고 기대한다.

# 항암약물치료를 받을 때 알아두어야 할 것들

항암약물치료는 처음에 막연한 두려움 때문에 걱정이 크지만, 한 번 받고 나면 생각보다 힘들지 않다는 것을 느끼게 될 것이다. 약물마다 다르지만, 대장암에서 투여하는 주사 항암제는 대부분 2주 간격으로 투여받는데, 백혈구나 혈소판 부족으로 인해 다음 주기 항암제를 맞지 못하는 경우가 있다. 따라서 입맛이 없더라도 백혈구나 혈소판이 잘 생성되도록 단백질이 풍부한 음식(소고기, 돼지고기, 우유, 달걀, 생선 등)을 많이 섭취해야 한다.

주사 항암제를 투여받게 되면, 첫 주에는 입맛도 없어지고 약간의 구토도 나올 수 있지만 첫 주가 지나면 호전된다. 반대로, 먹는 항암제인 젤로다는 2주간 복용하고 1주간 휴약기를 갖는데, 주사 항암제와 달리 2주간 복용하게 되면 구역·구토나 식욕감퇴 증상이 1주일 이후 더 심해질 수 있다.

●구토 구토를 방지하기 위한 가장 좋은 방법은 구토가 생기기 전에 항구토제를 투여받는 것이다. 오심이 있을 때는 가볍고 부드럽고 소화가 잘되는 음식을 하루 5~6회 나누어 먹는게 좋고, 시원한 음식이 도움이 되기도 한다. 또한, 항암제 투여 중에는 얼음조각이나 박하사탕이 도움이 되기도 한다. 오심, 구토가 심해 거의 먹을 수 없는 경우에는 탈수 및 전해질

불균형의 위험이 있으므로 의료진과 상의하는 것이 중요하다.

●구내염 구내염이 생긴 경우에는 입안과 입술이 건조해지지 않게 유지하고, 식후 30분 이내, 잠자기 전에 양치질을 하고 가글을 하는 것이 좋다.

●설사 설사가 있을 때는 미지근한 물이나 이온음료 등으로 수분을 보충하는 것이 중요하며, 지사제 복용 후에도 하루 7 회 이상 지속되거나, 열이 나거나, 복통, 혈변 및 검은변이 있으면 의료진과 상의해야 한다.

●그 외 증상 항암제 투여 중 열이 나거나, 목이 아프고 기침, 가래가 생기거나, 심한 설사를 하거나, 소변 볼 때 따끔거리는 증상 등이 생기면, 혹은 감염이 의심되면 자의로 해열제를 복용하지 말고 병원에 내원해야 한다.

# 대장암의 방사선치료

수술, 항암약물치료와 함께 3대 암 치료법 중 하나인 방사선치료는 방사선이 발생되는 장치 혹은 방사성동위원소를 이용하여 고에너지 방사선을 조사하여 암세포를 죽이는 치료법이다. 방사선에 대한 막연한 두려움과 오해를 방사선치료의 효과와 과정을 정확하게 앎으로써 바로잡아보자.

## 방사선치료, 어떻게 암을 잡나?

우리는 일상생활에서 끊임없이 방사선에 노출되고 있다. 태양으로부터 그리고 음식과 토양으로부터 자연 방사선을 받으며 살아가고 있다. 방사선의 에너지가 높아지면 암세포를 사멸시키는 효과를 얻을 수 있어, 이를 안전하고 적절하게 조절하여 암 치료에 이용하고 있다. 이러한 방사선치료는 3대 암 치료 방법 중 하나로 많은 암 환자에게 널리 사용되고 있다.

| 완치 목적 | | 고식적 목적 |
|---|---|---|
| 근치 목적 | 보조 요법 | 종양으로 인한 통증, 출혈, 장애 증상 등에 대한 증상 완화를 목적으로 하거나 그런 증상들에 대한 예방으로 시행한다. |
| 단독 또는 항암약물치료와 병용하여 암을 뿌리 뽑는다. | 수술이나 항암약물치료 등 다른 근치적 요법 시행 전이나 후에 보조적으로 시행한다. | |

**방사선치료의 목적**

## ◉ 장기를 보존하는 방사선치료

방사선치료는 암세포를 죽이고 증식을 막으면서도 방사선에 의해 손상된 정상세포는 빨리 회복시키는 것이 핵심이다. 방사선치료의 장점은 치료하고자 하는 환부에만 국소적으로 작용하며, 통증이 전혀 없고 장기를 보존할 수 있는 효과적인 치료가 가능하다는 점이다.

그러나 단순히 방사선을 쬐는 것만으로 방사선치료가 이루어지는 것은 아니다. 종양의 크기, 분포(퍼진) 정도, 형태와 분화도 및 방사선에 대한 종양의 민감도 등을 모두 고려하여 방사선 조사량, 치료 기간 등을 결정한다.

## ◉ 암세포만 효과적으로 제거

간혹 방사선치료는 말기 암 환자에게만 적용된다고 잘못 생각하는 경우가 있다. 그러나 많은 환자가 완치를 목적으로 방사선치료를

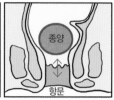

**방사선치료 전**

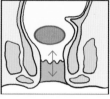

**방사선치료 후**

• 수술이 불가능한 병기에서 수술을 가능하게 하여 완치 가능성을 높인다.

• 종양의 크기를 줄임으로써 수술의 범위를 줄여 항문괄약근 등의 기관을 보존한다.

받고 있다. 또한 정상세포가 지나치게 파괴된다고 생각하는 경향도 있는데, 일정 부분 정상세포가 파괴되기는 하지만 암세포는 회복이 어려운 반면 치료로 손상된 정상세포는 방사선치료 후 시간이 지나면 손상이 회복된다. 또한 여러 번에 걸쳐 방사선치료를 받다 보면 정상세포의 손상은 줄고 암세포만 효과적으로 죽이는 결과를 얻을 수 있다.

# 어떤 경우에 방사선치료를 받을까?

방사선치료는 국소 부위에 효율적인 치료 방법으로, 직장암의 주요 치료 방법 중 하나이다. 치료 시기는 병변과 환자의 상태에 따라서 수술 전 혹은 수술 후에 시행하게 된다. 또한 절제 가능한 직장암의 경우에는 국소재발률을 낮추기 위해서 방사선치료가 병행하여 시행되며, 일반적으로 방사선치료의 효과를 증진시키기 위해서 항암약물치료와 동시에 시행된다.

방사선치료는 국소 요법으로, 재발률을 줄이는 효과가 있으므로 주변 림프절 전이가 있는 경우에는 방사선치료가 필요하다. 국소 진행된 직장암이나 수술적인 절제가 불가능한 경우, 수술 전에 동시항암약물방사선치료로 종양의 크기를 줄이고 수술을 시행하여 근치적인 수술이 가능하도록 하고 있다.

또한 항문 가까이에 종양이 있어서 수술로 항문을 없애고 장루를 해야 하는 환자의 경우에는 수술 전에 동시항암약물방사선치료를 시행하여 종양의 크기를 줄이고 항문괄약근 보존을 가능하게 할 수 있는 장점이 있다. 직장암으로 다른 부위에 전이가 되어 통증이 심한 경우 등에서는 근치적은 아니지만 증상을 완화시키는 방사선치료를 시행하여 통증을 감소시키는 효과를 볼 수 있다.

# 어떤 절차를 거쳐 방사선치료를 받나?

먼저 방사선종양학과 주치의와 진찰을 통해 치료 여부를 결정하고 치료의 구체적인 방향을 정한다. 이 과정에서 방사선치료 계획에 필요한 검사들을 추가로 실시하기도 한다. 진료 후 방사선종양학과 코디네이터로부터 방사선치료 과정과 부작용, 주의사항 등에 대한 추가 설명을 듣는다.

그리고 다음과 같이 6단계를 거쳐 방사선치료를 받는다.

●1단계―모의치료 방사선치료 설계를 위해 치료 부위를 CT로 촬영하는 과정이다. 치료 시 환자의 움직임을 최소화하기 위해 고정 장치를 제작하기도 하며, 치료설계 시 기준이 되는

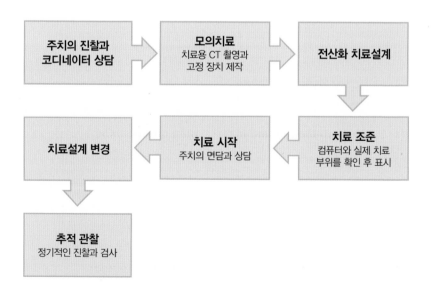

선을 몸에 표시하게 된다.

●2단계−전산화 치료설계 최상의 치료를 위한 가장 핵심적인
과정이다. 모의치료에서 얻은 영상자료에 수학적으로 방사선
량을 계산하고, 방사선을 조사하는 가장 효과적인 방향을 정
하는 단계다. 이 단계에서 방사선 조사 범위, 조사량, 치료 횟
수를 결정하게 된다. 최적의 설계를 하는 데 2~3일 정도가 소
요된다.

●3단계−치료 조준 설계가 끝나면 컴퓨터에서의 치료 부위가
실제 치료 상황과 같은지 확인하기 위해 설계에 맞게 몸에 치
료 부위의 중심을 표시한다. 경우에 따라 이 과정은 생략될 수
있다.

●4단계−치료 시작 방사선치료는 주말과 휴일을 제외하고 매
일 치료를 받게 되며, 직장암의 경우 치료 기간은 25~30회

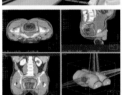

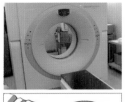

1단계 : 모의치료          2단계 : 전산화 치료설계

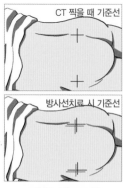

**TIP 방사선치료의 비용**

일반적인 방사선치료의 비용은 보험이 적용되어 일반적인 암 치료 비용과 비슷하다. 그러나 토모테라피와 같은 최근에 도입된 첨단 장비를 통한 방사선치료는 보험 적용이 특정한 경우에만 인정되고 있어 고가의 비용이 소요된다. 다만 첨단 의료 장비들이 많이 보급되고 환자들의 이용량이 증가하면 점차 낮아질 수 있으리라고 기대한다.

로 약 5~6주 정도 걸린다. 1회 치료 시간은 10~15분 정도이며, 치료 시간이 짧아 입원할 필요가 없고 통원 치료가 가능하다.

방사선치료 중에는 주 1회 방사선종양학과 주치의와 면담을 하여 치료 부작용 등을 상의하고 필요한 처방과 상담을 받을 수 있다.

● 5단계–치료설계 변경 대부분의 경우 치료설계의 변경이 있는데, 이는 치료 부위에 조금 더 집중적으로 방사선을 조사하고 주변의 정상조직은 보호하기 위해 치료 범위를 줄이는 단계이다. 경우에 따라서 모의치료용 CT를 다시 촬영하기도 한다.

● 6단계–추적 관찰 방사선치료가 끝나면 정기적인 진찰과 일부 검사(CT, MRI 등)를 통해 치료의 효과와 부작용을 관찰한

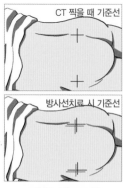

3단계 : 치료 조준

4단계 : 치료 시작

다. 이는 암의 재발 여부와 치료에 대한 부작용의 유무를 조기에 발견하여 적절한 조치를 취하기 위함이다.


## 방사선치료는 어떤 부작용이 있나?

앞에서도 언급했듯이 방사선은 종양에 인접한 정상세포에도 분명 영향을 미친다. 부작용은 이러한 정상세포의 손상에서 생긴다.

직장 주위에는 소장, 방광 등이 있으므로 주로 이와 관련된 부작용이 발생한다. 직장암의 방사선치료의 경우에는 치료 전 소변을 참아서 방광을 팽창시키고 치료 시 엎드린 자세를 취해, 소장을 최대한 치료 범위에서 제외시켜 설사, 변비, 복부 불편감 등의 부작용을 줄일 수 있다.

방사선치료 중이나 치료 후 6개월 이내에 발생하여, 치료 종료 후 점차 호전되는 부작용을 급성 부작용이라고 한다. 방사선의 영향으로 항문의 피부가 붓거나 벗겨지는 방사선 피부염, 소장이 자극을 받아 발생하는 복부의 묵직한 느낌이나 설사 또는 오심, 장 점막 자

> **TIP 방사선치료를 하면 탈모나 전신 부작용은 없나?**
>
> 방사선치료는 치료 부위인 직장암 부위가 국소적으로 방사선에 노출되므로 머리 쪽에 치료를 받는 게 아니라면 머리카락이 빠지지는 않는다. 또한, 방사선치료로 인한 전신 부작용은 치료과정에서 오는 피로나 허약감 정도로 볼 수 있으며, 이는 일반적인 치료과정에서 흔하게 경험할 수 있는 부작용이다. 항암약물치료 시 나타나는 오심, 구토, 구내염 등은 방사선치료와의 관련성이 적은 편이다.

극에 의한 혈변이나 점액질 배출 및 배변 횟수의 증가, 방광염으로 인해 소변을 자주 보는 증상 등이 있다. 만성 부작용은 방사선치료 후 약 6개월 이후에 나타나는 반응으로, 직장 염증으로 인한 출혈 혹은 통증, 소장 협착 및 이로 인한 장폐색이 드물게 발생할 수 있다.

암 치료에 있어서 환자에 따라 부작용도 차이가 나지만, 분명한 점은 부작용 없이 치료가 진행될 수는 없다는 것이다. 하지만 암을 완치하기 위한 여정이라 생각하면 부작용쯤은 충분히 견뎌낼 수 있을 것이다. 부작용을 견뎌내고 암을 완치하면 새로운 인생이 기다리고 있으니 희망을 가지고 이겨나가야 한다.

## 방사선치료에 대한 오해와 진실

모든 암 치료는 부작용을 가지고 있다. 부작용이 없는 치료라고 한다면 그것은 거짓말일 것이다. 부작용이 적다는 것이 맞는 말이다. 앞으로 의학이 더 발전하면 부작용이 없는 방사선치료의 시대를 열 수 있을지도 모른다. 하지만 방사선에 대한 일반인의 정확하지 않은 편견과 막연한 오해 때문에 방사선치료의 탁월한 효과에도 불구하고 그만큼의 정당한 대우를 받지 못하고 있는 것이 현실이다. 방사선치료는 직장암 치료에 매우 효과적이고 필수적인 치료이니, 드물게 발생하는 부작용에 대한 걱정 때문에 탁월한 치료효과를 볼 수 있는 기회를 놓치지 말아야 할 것이다.

### ◉ 방사선치료 중인데 아이와 함께 있으면 위험하지 않을까?

직장암 방사선치료는 외부 방사선치료로 시행하게 된다. 외부 방사선치료는 매일 10여 분 정도 방사선치료실 안에서 골반 부위에 방사선을 받게 된다. 몸속에 방사선이 나오는 물질을 넣는 것이 아니라 외부에서 방사선이 조사되어 마치 사진을 찍는 것과 같다고 생각하면 된다.

치료 후에 환자의 몸에 방사선이 남는 것이 아니므로 외부 방사선치료 기간 중에 외부와 격리될 필요가 없으며, 아이와 함께 있어도 괜찮다. 방사성동위원소로 치료하는 일부 암(예를 들어, 갑상선암)에서는 몸속에 방사선이 나오는 물질을 주입하기 때문에 격리 입원하여 치료하지만 직장암의 외부 방사선치료와는 전혀 다른 치료 방법이다.

### ◉ 방사선치료를 하면 불임이 되거나 유전이 되지 않을까?

직장암의 방사선치료는 골반 내에 위치한 직장과 그 주변의 림프절을 포함해서 치료하게 된다. 이때 여성의 경우 난소가 치료 범위에 포함되어 불임과 폐경이 발생한다. 미혼의 젊은 여성이 방사선치료를 받을 때는 치료 시작 전에 불임과 폐경에 대한 상담을 받고 난자은행을 이용하거나 수술을 통해 체내 난소의 위치 변경 등의 조치를 취한 후 방사선치료를 진행한다. 남성의 경우도 불임이 될 가능성이 높아 미혼 남성인 경우에 정자 보관 등의 방법으로 방사선치료 후에 발생할 불임을 예방한다.

방사선에 의해 정자 혹은 난자에 이상이 생기면 이러한 정자, 난자들은 스스로 사멸하게 된다. 그리고 정상 정자와 난자가 다시 생겨난다. 방사선치료 기간 중에는 피임을 꼭 해야 하지만 방사선치료 종료 후 6개월이 지나면 유전에 관련된 문제는 없다고 보아도 된다.


## 방사선치료를 받을 때 알아두어야 할 것들

항암약물치료는 전신적인 치료이고 방사선치료는 방사선이 조사되는 부위에 대한 국소 치료다. 수술 후에 추가적인 치료를 하는 것은 혹시라도 남아 있을 수 있는 미세 잔존암에 대한 치료다. 그래서 그 목적이 국소 치료인지 전신 치료인지에 따라 치료 방법을 선택하게 된다.

### ● 대장암 수술 후 방사선치료
대장암의 경우는 수술하는 공간이 비교적 넓고 충분한 여유를 두고 절제하기 때문에 수술 후 재발하는 경우에 국소 재발보다는 원격전이가 흔하다. 따라서 대장암으로 완전절제 수술을 받은 환자에게는 국소 재발을 줄이는 방사선치료보다는 전신적인 치료 효과를 기대하는 항암약물치료를 추천하게 된다. 하지만 대장암의 경우도 다른 장기에 유착된 상태로 있거나 다른 장기로 침범한 경우, 혹은 완전절제가 안 된 경우에는 방사선치료를 고려할 수 있다.

## ◉ 직장암 수술 후 항암약물치료와 병행하는 방사선치료

직장암의 경우는 수술 시 좁은 골반 내에서 절제를 하는 데다 주변 장기들과 인접해 있기 때문에 국소 재발이 상대적으로 많아 방사선치료의 중요성이 강조된다. 하지만 방사선치료만 하는 것보다는 항암약물치료와 방사선치료를 동시에 병행할 때 더 좋은 치료 성적을 보이는 것으로 나타났다. 항암약물치료는 암세포가 손상으로부터 회복하려는 활동을 다양한 경로로 차단하여 방사선치료에 대한 암세포의 감수성을 증가시킬 수 있기 때문이다.

## ◉ 탁월한 효과의 방사선치료

항문에 가까이 있는 직장암의 경우, 수술 전 동시항암약물방사선치료를 통해 종양의 크기를 줄여 근치적인 수술이 가능하도록 한다.

> **TIP 환자가 치료를 선택할 수 있나?**
>
> 항암약물치료와 방사선치료의 선택은 환자의 선호도로 결정할 수 있는 부분이 아니며, 질병의 상태, 몸의 상태, 암의 발병 위치와 치료 목적에 따라 적절히 선택되어야 한다.

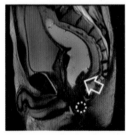 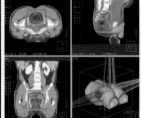 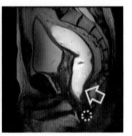

**항문 가까이 있는 직장암**  **수술 전**  **종양의 크기가 줄어든 모습**
**동시항암약물방사선치료**

위의 사진을 보면, 화살표 부위에 볼록 튀어나온 종양이 있다. 회색 원형으로 표시한 항문과 매우 가깝게 위치하고 있는 상황으로 항문을 보존하기 위해서 동시항암약물방사선치료를 시행한 경우다. 치료 후 볼록 나왔던 종양이 편평하게 줄어들어서 보이지 않을 정도로 크게 호전되었고 항문을 보존하는 수술을 시행할 수 있었다.

# 대장암의 다학제 진료

여러 진료과목의 전문의들이 모여 긴밀한 토론을 통해 환자를 위한 맞춤 치료법을 찾아나가는 다학제 진료. 의사 혼자 결정하기 어려운 진행된 암, 재발 및 전이암 등 환자에게 근거에 입각한 최선의 치료를 제공하는 것이 목표다. 진단 및 치료에 있어 여러 분야의 전문의들이 단순히 협진하는 데 그치지 않고 연구, 진료, 환자 관리, 임상시험, 기초과학 등과 같은 분야까지 유기적으로 연계하여 환자를 위한 최적의 치료법을 찾는다.

## 다학제 진료란 무엇인가?

### ◉ 다학제 진료는 다양한 치료 방법의 길을 열어준다

암의 치료는 근치적 절제가 치료의 근간이다. 근치적 절제가 되더라도 환자에게 장애가 남아서 삶의 질이 떨어지는 경우가 종종 있고, 더구나 재발하여 치료 성적이 기대한 것보다 못한 경우가 있다. 최근 발달된 항암약물치료, 방사선치료와 더불어 정확한 영상진단으로 환자의 병기에 맞게 최적의 치료 방법을 찾는 것을 다학제적 접근이라 하고, 다학제 진료는 이러한 접근개념을 진료실 안에 도입해 각 과의 전문의들이 함께 진료하는 것을 일컫는다.

**다학제 진료 모습**

병과 관련된 여러 분야의 전문의가 함께 모여 토론하고 최상의 치료법을 찾아나가는 다학제 진료는 관련 의료진 모두가 한 환자의 담당 의료진으로서 치료를 책임져나가는 온전한 환자중심의 진료 방법이라고 할 수 있다. 각 분야의 전문가들이 모여서 토론을 하면 새로운 관점에의 접근이 가능하고, 개인의 관점에서는 보지 못했던 또 다른 관점에서 치료 방법을 모색할 수 있다.

### ◉ 다학제 진료로 항문을 보존할 수 있을까?

암이 항문 가까이에 위치한 하부직장암은 일반적으로 완전한 종양 제거를 위해 직장 및 항문괄약근 등을 모두 제거하는 수술을 한다. 따라서 대변을 배출하기 위해 배꼽 옆에 장루를 만들지만, 이로 인해 수술 후 배변 주머니를 늘 달고 살면서 육체적 고통과 정신적 우울증에 시달려 삶의 질이 떨어지고는 한다.

그러나 수술 전 동시항암약물방사선치료 및 전직장간막 절제술 (직장과 함께 주변 림프절이 포함된 직장 주변 조직을 모두 절제하는 수술)을 통해 항문에서 5cm 이내에 위치한 직장암인 경우에도 환자의 85%의 항문을 보존해 삶의 질을 높이고 있다. 또한 환자의 10~30%가 종양세포가 모두 없어지는 완전관해를 보였다. 이러한 환자들의 삶의 질 향상 및 치료 성적의 향상은 종양내과, 방사선종양학과, 영상의학과, 외과 등 다학제적 접근에 따른 치료기술의 발전으로 이루어지고 있다.

최근, 경직장 초음파Endorectal Ultrasound, MRI와 같은 영상진단기술의 빠른 발전에 힘입어 정확한 임상적 병기결정이 가능해졌다. 직장암의 정확한 임상적 병기결정은 임상의사가 수술을 우선적으로 택할 것인지, 수술 전 병용요법을 시행한 후 수술을 택할 것인지를 선택할 수 있게 만들었다. 이로 인해, 2기 및 3기 직장암의 1차적인 치료는 수술이지만 다학제적 접근을 통해 항문을 살릴 수 있는 경우가 점점 많아지고 있다.

TIP 완전관해(Complete Response)

완전관해는 항암약물치료나 방사선치료로 암조직 내에 암세포 관찰이 되지 않는 경우를 말한다. 이러한 반응을 보이는 배경은 종양의 치료 감수성, 즉 종양의 분자생물학적 특성이 관련되어 있다.

# 환자의 상태에 따라 체계적으로 진료한다

암이 대장에서 다른 장기로 전이되었다는 말은 환자들을 고통의 나락으로 떨어트리는 말이기도 하다. 하지만 전이된 암이라 해도 완치가 가능하며, 완치를 위한 의료진들의 다학제적 진료가 희망을 제공하고 있다.

### ◉ 대장암 간 전이의 다학제적 접근

대장암은 세계적으로 암 관련 사망 원인 중 두 번째, 국내에서도 네 번째로 흔한 사망 원인이며 그 발생률 또한 점차 증가하는 추세다. 대장암이 전이되는 가장 흔한 장기는 간으로 약 30~60%에 이르며, 대장암 환자의 25%가 증상 발현 당시 간 전이가 발견되고 있다. 대장암 진단 이후 병의 경과 중 30% 이상이 종양 절제 후 2년 이내에 간 전이가 새로 발생한다.

치료되지 않은 간 전이 환자의 예후는 상당히 불량하여 생존 기간이 5~12개월이다. 간 절제만이 대장암 간 전이의 유일한 완치 방법이지만, 전통적인 간 절제 기준을 적용하면 10%의 환자만이 수술적 절제를 할 수 있다.

과거 20년 동안 수술기법, 영상진단 및 항암치료의 발전으로 근치적 간 절제가 가능한 환자가 증가하였으며, 많은 경험이 쌓이면서 간 절제의 정의에 대한 패러다임에도 변화가 있었다. 이로 인해 대장암 간 전이 환자의 간 절제 후 장기 생존 기간도 상당히 향상되어 간 절제 후 5년 생존율이 과거 25%에서 통상적으로 40~58%까지 향상됐다.

간에 국한된 전이성 대장암 환자에게는 간 절제술만이 장기 생존율을 갖는 유일한 치료 방법이다. 절제 가능한 병변을 가진 모든 환자는 간 절제술을 받는 것이 생존율을 높일 수 있는 방법이다.

간에 국한된 병변이지만, 초기 해부학적으로 절제 가능하다고 판단되는 환자는 수술적 절제술 이후 보조항암약물치료를 시행할 수 있지만, 최근에는 초기 수술적 절제가 가능하다고 하더라도 수술 전에 항암약물치료를 시행함으로써 3년 무병 생존율의 연장을 가능케 해 다학제적 접근에 따른 치료의 우선순위를 정하는 것도 중요하다.

초기 절제가 불가능한 대장암 간 전이 환자의 경우, 수술 전에 항암약물치료를 시행한 뒤 절제술을 시행하면 10~15% 정도가 간 전이 조직의 크기와 개수가 줄어들어 절제 가능한 상태가 될 수 있다. 따라서 초기에 간 절제술이 가능했던 환자의 생존율과 비슷한 5년 생존율(30~35%)을 보인다.

하지만 수술 전의 항암약물치료는 간에 손상을 주어 간 절제술 후 유병률과 사망률을 증가시킬 수 있기 때문에 수술 전 항암약물치료의 기간 및 수술 시기는 다학제 팀을 통해서 결정되어야 하고, 수술 전 2~3개월 내에 이루어진다면 항암제로 인한 간 손상을 줄일 수 있다. 장기간의 항암약물치료는 피해야 하며, 간 절제술은 외과적으로 절제

가능할 때 가능한 빨리 시행하는 게 좋다.

이러한 치료의 경험은 간 전이 병소의 근치적 절제를 통해 이득을 볼 수 있는 대장암 환자의 범위를 넓히고 있고, 장기 생존율을 포함한 예후를 지속적으로 향상시켰다. 이러한 성과는 다학제 진료를 통해 다양하고 난해한 환자군에 대한 개별적이고 다양한 치료를 가능하게 하고 있다.

## ● 대장암과 직장암은 치료가 다른가?

대장암과 직장암의 가장 큰 차이는 병이 생기는 위치가 다르다는 것이다.

대장암은 복부에 위치한 대장(상행결장, 횡행결장, 하행결장, 에스결장)에서 발생하는 것이고, 직장암은 골반 내의 직장에서 발생한다.

좀 더 구체적으로 살펴보면, 대장암은 복강이라는 비교적 큰 공간에서 충분하게 장을 절제할 수 있지만 직장암은 골반 내의 좁은 곳에 위치하여 자궁, 질, 전립선, 정낭, 요도, 방광 등의 다른 장기들과 인접해 있다. 그래서 직장암의 수술적인 접근과 근치적인 수술이 대장암에 비해 어려운 것이 일반적이다.

이런 이유로 대장암은 1차적으로 수술적인 치료를 우선적으로 시행하고 이후 최종병기 결과에 따라 추가적인 항암약물치료 여부를 결정한다.

하지만 직장암은 해부학적 위치 때문에 수술의 난이도가 대장암에 비해 높고 근치적 수술 후에도 국소 재발률이 높은 것으로 알려져 있다. 직장 초음파 그리고 CT, MRI 등을 통해 병변의 침윤 깊이와 림프절 전이 여부를 판단하여, 국소 진행되어 수술 후 재발 위험이 예측되면 수술 전에 동시항암약물방사선치료를 먼저 시행한다. 만약 수술 전 검사상 근육층까지만 침윤되어 있고 림프절 전이가 없을 경우에는 수술을 먼저 진행하고 최종 조직병리검사 결과에 따라 추가적인 항암약물치료나 방사선치료를 하거나 경과 관찰한다. 이런 구조적인 문제 때문에 특히 직장암에 있어서 다학제적 접근을 필요로 하고 있다.

## 세브란스병원 대장암 전문클리닉의 다학제 진료

세브란스병원 대장암 전문클리닉은 풍부한 임상 경험, 전문적 지식과 능력을 겸비한 대장항문외과, 종양내과, 소화기내과, 영상의학과, 방사선종양학과와 병리과 등 여러 의료진의 긴밀하고 유기적인 협진으로 대장암 환자들의 치료 효과의 극대화를 도모하고 있다.

### ● 치료 성적이 우수한 세브란스병원의 다학제 진료

세브란스병원 대장암 전문클리닉의 의료진들은 대장암 환자들 중 가장 치료하기 어려운 진행성 직장암, 전이성 대장암, 재발성 대장암의 경우에 적용할 수 있는, 새로운 다학제적 치료에 임상 및 연구 역량을 집중하고 있다. 이 중 국소 진행성 직장암에 대해서는 수술 전 동시항암약물방사선치료를 적극적으로 적용하여 국소 재발률을 최소화하고 항문괄약근 보존을 극대화한다. 전이성 대장암, 재발성 대장암에 대해서는 신항암약물치료 또는 신항암약물방사선치료 후에 수술을 하는 다학제적 접근을 시도하여 전례 없는 우수한 치료 성적을 얻고 있다.

대장암 간 전이에서는 종양내과, 대장항문외과, 간외과, 영상의학과, 소화기내과의 교수가 모여 수술 전 항암약물치료, 수술 시기, 항암 약제를 결정하고 있으며, 국소 전이성 직장암에서는 종양내과, 대장항문외과, 방사선종양학과, 영상의학과, 소화기내과의 교수가 모여 수술 전 동시항암약물방사선치료를 결정하고 있다.

## ● 세브란스병원의 대장암 전문클리닉

대장암 치료에 있어서 치료 전 병기의 정확한 파악이 필수요건인데, 세브란스병원 대장암 전문클리닉에서는 대장암 전담 소화기내과, 영상의학과, 병리과, 핵의학과 교수에 의해 진단과정이 체계적, 전문적으로 이루어지고 있으며, 이러한 진단을 바탕으로 매주 개최되는 다학제팀 대장암 컨퍼런스를 통해 개개 환자들에게 최선의 맞춤형 치료를 제공하고 있다. 초기 대장암에 대해서는 내시경 절제술이 적극적으로 시행되고 있으며, 내시경 절제가 어려운 큰 폴립의 경우 소

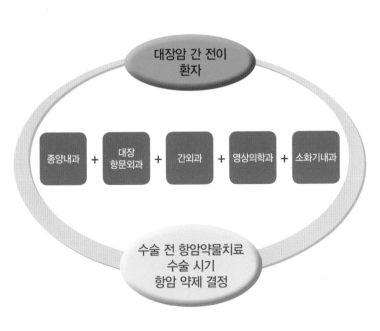

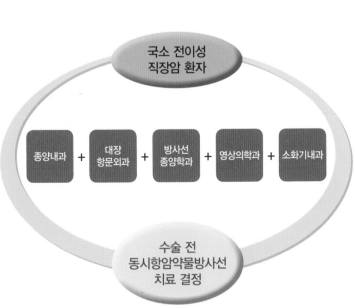

화기내과에서 대장내시경 검사를, 외과에서 복강경 치료 준비를 함께 하고 있다. 그 외 경항문 미세내시경수술, 복강경수술, 로봇수술, 단일공 복강경수술, 개복수술을 비롯한 수술요법과 항암약물치료, 방사선치료 등이 환자 상태에 맞추어 시행되고 있다.

특히 직장암 수술 후에는 배변기능의 상실 또는 저하를 경험하는 환자들이 많다. 대장암 전문클리닉에서는 최신의 대장항문 생리기능검사 장비들을 갖추고 이들 환자들의 객관적 직장항문 기능의 평가를 시행하고, 바이오피드백(생체되먹이기 치료), 적절한 약물요법 및 환자교육을 통해 직장항문 기능의 향상을 도모하고 있다. 수술 후 일부 환자들은 일시적 또는 영구 장루를 갖게 되는데, 환자들의 삶의 질 향상을 위해 장루 관리와 교육을 시행하여 높은 호응도와 만족도를 얻고 있다.

# 투병은 또 다른 삶의 시작

이지윤(46세, 여)

5년 전 이맘때, 나는 무척이나 힘든 겨울을 맞이하고 있었다. 그해 가을에는 마음이 많이 힘들었다. 그리고 그해 겨울로 접어들자 몸도 잘못되고 있다는 느낌이 들기 시작했다. 평소에도 스트레스를 받으면 정도의 차이는 있었지만 늘 장이 아팠었는데 가을이 지나면서는 계속 불편했다. 무언가 잘못되고 있다는 느낌이 확실해지기 시작했다.

결국 대장내시경 검사를 받았고 대장암이라는 진단을 받았다. 곧바로 수술이 결정되었고, 염려와 달리 수술은 잘 마쳤다. 다행히 다른 장기로 전이되지는 않았지만 이미 주변 림프관 부위로 암세포가 퍼져나간 상태임이 확인되었다.

4월 말이 되어 항암약물치료를 받기 시작했다. 몸에 포트를 심고 통원 치료를 받는 방법이었는데, 백혈구 수가 잘 유지되어 치료가 밀리지 않는 최선의 상황이어도 꼬박 6개월의 기간이 요구되었다. 치료과정에 대한 남편과 가족들의 믿음과 헌신은 긴 투병을 지탱하는 든든한 뿌리가 되어주었다.

내 생활은 단순해졌다. 눈을 뜨면 누운 자리에서 물소리와 자연의 소리가 담긴 명상음악에 맞추어 몸과 마음에, 특히 수술을 받은 나의 대장에게 사랑을 듬뿍 보내는 일로 하루를 시작하였다. 이어서 자연요법에서 권하는 간단한 체조로 몸을 풀고, 창문을 열고 간소화된 풍욕도 잠시 즐겼다. 식사 직전과 직후를 피하면서 권장량의 물을 마시기 위해서는 하루 전체 시간에 대한 관리가 구체적으로 필요했다. 물과 약을 포함한 모든 섭취와 배설에 대한 내용들을 시간과 함께 노트에 자세히 기록하면서 몸의 상황을 조심스럽게 관찰하였다.

항암제를 투여하는 기간에는 주로 잠을 많이 잤고, 투여가 없는 날에는 오전과 저녁에 아파트 주변을 산책하고 몸과 마음에 도움이 되는 책들을 읽고 명상을 하며 하루를 보냈다. 전화는 받지 않았고 컴퓨터 사용은 가급적 자제하였으며, 뉴스 등의 TV 시청은 아예 하지 않았다. 매일 저녁에 하는 산책은 남편이 퇴근하는 동안에 전화로 말동무가 되어주어서 이에 맞추어 규칙적으로 한 시간 정도 운동할 수 있었다.

나의 식단은 해산물과 콩으로 만들어진 고단백 음식과 여러 종류의 채소, 과일, 견과류 등을 골고루 섭취하는 식단을 유지했다. 밥은 현미가 반 이상, 약간의 백미와 약콩, 율무를 혼합한 잡곡밥을 유지했는데, 이 방식은 지금까지도 유지하고 있다. 외식을 하는 경우에는 천연조미료와 믿을 수 있는 식재료를 사용하는 곳이 아니면 반드시 도시락을 준비했고, 수입 밀가루로 만들어진 모든 종류의 음식과 카페인 음료 등은 철저하게 배제하였다. 이러한 식이요법이 도움이 되었는지 혈액검사에서 알부민 수치가 늘 평균 이상으로 나왔고, 12회에 걸친 항암약물치료에서 단 한 번만 백혈구 수치가 기준치 아래로 내려가서 1회분이 밀렸을 뿐 항암약물치료는 처음에 예상했던 것보다 잘 진행되었다.

10월 말이 되어서 드디어 12회 항암약물치료를 마무리하였고 정상적인 생활로 복귀가 가능하다는 이야기를 들었는데, 반가움도 잠시, 전혀 예상하지 못한 어려움이 찾아왔다. 투병에만 전념하느라 모든 에너지를 한곳에만 집중했던 것이다. 그래서 직장생활을 다시 시작하는 게 쉽지 않았다. 몸은 새롭게 시작할 준비를 하는 듯했지만 마음은 도무지 몸을 따라주지를 않았다.

11월 중순이 되자 극도로 우울해지기 시작했고, 12월이 되어서는 얼굴과 손, 발을 제외한 몸 전체가 붉은 반점으로 덮이기 시작했다. 검사 결과는 원인불명이었지만 나는 내 몸이 선명한 붉은색으로 빽빽하게 피어나는 반점을 통해 그간의 치료로 고생한 몸과 마음을 돌보라는 신호를 명확하게 보내고 있는 것이라고 생각하였다.

마음의 평화를 찾기 위해 다시 최대한으로 노력했다. 명상수련 프로그램에 참여하여 내 안에 쌓인 두려움, 후회, 자기부정 등의 부정적인 감정들을 돌보고 내 자신과 화해하는 데 최선을 다했다. 그 기간 동안에도 가능한 산책은 빼놓지 않았지만, 몸에 무리가 가지 않는 한도 내에서 치료 기간 동안 늘어난 음식물 섭취량을 줄이고 몸을 많이 쉬게 하며 지냈다.

이듬해 1월 말이 되면서 붉은 반점들이 서서히 가라앉기 시작하였고 복직을 해도 될 만큼 몸과 마음이 회복되었다. 약간의 두려움을 안고 2월 중순에 직장으로 복귀하였다.

그 후 3년의 시간이 흐른 2010년 12월 초부터 1년간 나는 다시 한 번 휴직을 했고, 복직도 하였다. 다시 찾은 삶을 더 기쁘고 행복하게 살라는 내면의 안내를 따라 새로운 일을 시도해보았다. 내게 주어진 많은 것들에 더욱 감사하게 되었고 새로운 일에 대한 의욕과 희망도 생겼다.

이렇게 투병과정에서 겪고 배운 경험들을 비슷한 상황에 놓인 분들에게 조금이라도 나눌 수 있다는 것에 나는 매우 감사하다. 5년이란 긴 시간을 한결 같이 자상하고 최선을 다하는 모습으로 격려해주신 세브란스 드림팀 모든 분들께 깊은 감사의 마음을 전하고 싶다.

 대장암이 평균 발병 시기보다 일찍 발견되면 반드시 가족력을 확인해야 한다. 유전성 대장암 중 가족성 폴립증과 유전성 비폴립성 대장직장암이 있는데, 두 가지 질환 모두 가족력상 대장암 환자가 이른 시기에 발생하고, 그 수가 많다.

이지윤 환자도 평균 발병 시기보다 이른 시기에 발병한 경우이기 때문에 가족력 검사 및 유전자 검사를 하였다. 그러나 위의 두 질환은 아닌 것으로 판명이 났다. 대장암이 급격히 증가하는 한국에서 30~40대 발병 환자 비율이 유럽이나 북미보다 높다고 조사되었는데, 이는 잘못된 식습관과 생활습관이 누적되어 나타난 결과일 가능성이 있다. 이지윤 환자의 경우도 식습관과 생활습관의 문제일 것이라 생각한다.

환자는 이렇게 암 발생 평균 연령보다 일찍 발병하여 마음고생이 심한 경우였다. 수술 후 항암약물치료의 과정을 힘들어했고, 부작용도 가끔씩 심하게 나타났다. 부작용 때문에 정신적으로 매우 힘들어했지만 수기의 내용과 같이 이겨나가는 방법을 찾았다. 또한, 가족의 한결 같은 지원이 있었기에 가능한 일이었다. 현재는 완치 판정을 받았고 자신의 분야에서 왕성하게 활동하고 있다.

# 가족이라는 희망

**모순종(49세, 여)**

2002년 겨울 어느 날, 그날도 여느 날과 다를 바 없는 일상을 보내고 있었다. 한 가지 다른 점이 있다면 잦은 복통이 시작되었다는 정도였다. 하루 이틀 참다가 뱃속을 죄어오는 느낌이 불안감으로 변해갈 무렵, 아무래도 안 되겠다 싶어 병원을 찾았다. 단순히 배가 아픈 것이려니 생각하며 찾아간 병원에서 나는 대장암 4기라는 청천벽력과 같은 이야기를 들었다.

한 남편의 아내이자 아이들의 엄마로서 상상할 수 없는 일이었다. 아무 일도, 아무 생각도 할 수 없었다. 그렇지만 사람이기에 앞서 나는 두 아이의 엄마였다. 큰아이는 중학생이었고 작은아이는 겨우 초등학생이었다. 두 아이를 위해서라도 마음을 굳게 다잡을 수밖에 없었다. 엄마가 꼭 필요한 아이들을 외면할 수는 없지 않은가.

마음을 굳게 먹고 항암약물치료에 들어갔다. 항암제를 처음 맞던 날은 두려움에 곧 울음이 터질 것만 같았다. 여러 부작용을 걱정하는 나에게 가족은 가장 든든한 지원군이 되어 나를 붙잡아주었다. 그리고 가족처럼 끊임없이 응원해주신 세브란스 병원 의사선생님과 간호사들 또한 잊을 수 없다. 그분들의 도움으로 항암약물치료의 부작용은 그리 크지 않았다.

한 고비를 넘기고 퇴원을 해서 기다리던 가족의 품으로 돌아왔다. 그동안 못 다한 아내의 역할, 엄마의 자리를 마음껏 채우리라 마음먹고 기쁨에 겨워 하루하루 바쁜 날들을 보내고 있었다.

그런데 퇴원 후 받은 정기검사는 나에게 또다시 아주 고통스럽고 괴로운 결과를 내놓았다. 간으로 암이 전이되었다는 것이다.

"왜, 도대체 왜?"

나는 하늘을 향해 거듭 물었지만 답은 하나뿐이었다. 다시 한 번 이기고 견뎌내는 것, 그게 내가 할 수 있는 전부였다. 하지만 처음보다 마음의 충격은 더 컸다. 그러나 가족이라는 희망의 열쇠를 붙들고 견뎌내야만 했다. 그리고 나는 간으로 전이된 암도 이겨냈다. 완치를 위해 노력해준 세브란스병원 대장암 전문클리닉 선생님들 또한 내게는 더없이 고마운 분들이다. 나는 지금 절망의 터널 끝에서 찾은 건강하고 새로운 삶을 살고 있다.

앞서 밝혔듯이, 대장암의 간 전이는 다른 장기암의 간 전이보다 근치적 절제 후 치료 성적이 좋다. 이는 해부학적 구조의 특징으로, 대장암이 주변 림프절 전이보다 일찍 피를 타고 간으로 퍼지기 때문이다. 따라서 원발 대장암은 주변 림프절에 전이가 없어도 간에서 전이가 발견되는 경우가 있다.

모순종 환자는 대장암 수술 후 3년 뒤 간 전이가 발견되었으나 대장암과 간 전이의 힘든 치료과정을 마치고 이제 완치의 상태에 있다. 1차 암 치료 종결 후 안심하고 있다가 정기적인 추적검사에서 간 전이가 발견되어 적극적인 수술과 항암약물치료를 받아 암을 극복한 경우다. 재발되었다고 절망하지 않고 적극적인 치료를 받으면 결국 완치가 가능하다는 걸 증명한 좋은 예이기도 하다.

# 수술 후 관리가
# 완치를 결정한다

암을 제거했다고 대장암으로부터 완전히 해방되는 것
은 아니다. 재발암과 전이암이 또 다른 모습으로 우리에게 다가올 준비를 하
고 있기 때문이다. 그렇지만 희망은 있다. 대장에 유익한 운동과 식생활을
통해 대장을 관리하고, 추적검사로 꾸준히 대장을 살피는 등 대장에 지속적
으로 관심을 갖는다면 대장암 완치가 기적처럼 다가올 것이다.

# 완치를 좌우하는 추적 관찰

암은 한 번의 수술로 완치했다고 마음 놓을 수 있는 질병이 아니다. 수술 후 대장의 변화를 감지할 수 있는 검사를 주기적으로 받아 꾸준히 추적 관찰하는 것이 중요하다. 병기나 상황에 따라 달라지는 추적검사의 종류를 살펴보자.

## 꾸준한 추적 관찰이 무엇보다 중요하다

암으로 진단된 경우에는 수술 후 증상이 없어도 정기적인 추적검사에 의해 재발암이 조기 발견될 수 있다. 그러므로 의료진과 상의한 후 적절한 원칙을 가지고 수술 및 수술 후 추적까지 꾸준히 실천하는 것이 가장 바람직하다.

### ◉ 추적검사는 조기 발견을 위한 기본

국제적으로 표준치료지침을 만들어가는 미국 암 네트워크에서 제시하는 임상 지침에 따르면, 일반적으로 수술 후 잔존암이 없는

1~3기 환자들은 첫 3년간은 3~6개월마다, 이후 2년간은 6개월마다 주기적으로 추적검사를 받도록 권고하고 있다. 그러나 이러한 검사 간격에 대한 이견이 있고, 비용과 효과 면에서도 재검토되고 있는 실정이다. 때문에 병원 또는 의사마다 검사 간격은 차이가 있을 수 있다.

## ◉ 수술 후 대장내시경 검사

대장내시경 검사는 수술 후 1년 뒤에 받을 것을 권장하고 있으며, 이후에는 3년 뒤에 다시 받고, 특별한 소견이 없을 경우 5년에 한 번씩 받아보도록 권고하고 있다. 그러나 진단 당시 대장암이 내시경이 통과하지 못할 정도로 큰 경우, 혹은 에스결장경 검사만 되어 있어 대장 전체에 대한 대장내시경 검사가 안 되어 있는 경우에는 수술 후 6개월 뒤 대장내시경 검사를 권하고 있다. 이는 대장에는 동시에 여러 곳에 폴립이나 암이 존재할 가능성이 높기 때문이다. 단, 수술 후 처음 시행한 대장내시경 검사에서 폴립의 크기가 1cm보다 크거나 분화도가 나쁜 경우, 조직검사에서 융모 형태의 세포가 많은 경우에는 1년 뒤 재검사를 받도록 한다.

## ◉ 재발 확인에 유용한 암태아성항원 검사

2장에서 언급한 종양표지자인 암태아성항원 검사는 비교적 간편하게 이뤄져 대장암의 근치적 절제술 후 중요한 대장암 추적검사로 이용된다. 치료 전에 암태아성항원 수치가 높았던 환자의 치료 후 수치가 정상으로 감소된 상태로 치료 효과를 확인하며, 아울러 환자의 재발 여부를 확인하는 데 유용한 검사이다.

보통 수술 후 첫 2년간 3개월마다, 이후 3년간은 6개월마다 검사한다. 다만 암태아성항원 수치의 12~15%는 대장암과 관련이 없는 췌장 질환이나 간 질환 등 여러 양성 질환들과 흡연 또는 음주로 인해 증가한 경우일 수 있어 모든 대장암 환자의 암 진단 및 재발에 이용하는 데 한계가 있다. 하지만 시간을 두고 시행한 검사에서 지속적으로 수치가 올라갈 경우에는 재발 확률이 높은 것으로 알려져 있어, 참고 지표로서 가치가 있기 때문에 정기적으로 검사하고 있는 실정이다.

### ◉ 4기 대장암의 추적검사

수술 후 암태아성항원 수치가 상승되었을 때는 재발 여부 확인을 위해 대장내시경 검사, 흉부, 복부 및 골반 CT 촬영을 한다. 이 경우에는 재발 및 원격 전이 여부 확인을 위해 PET-CT 촬영을 생각해볼 수도 있다. 대장내시경 및 영상 검사에서 특이소견을 보이지 않을 경우에는 3개월 뒤에 암태아성항원 검사와 함께 재촬영을 한다.

대장암 치료 후 5년이 지나 완치 판정을 받은 후에는 다른 암의 발생 여부를 정기적인 건강검진을 통해 확인하는 것이 좋으며, 균형 잡힌 식사와 운동을 병행하는 것이 암의 재발을 방지하는 데 도움이 된다.

# 수술 후 재발과 전이

조기 발견된 암은 수술로 완치된다. 그러나 불행히도 진단 당시에 진행된 암은 근치적 수술, 항암약물치료, 방사선치료의 발전에도 불구하고 재발의 위험이 있다. 수술 후 또 다시 다른 모습으로 찾아오는 재발과 전이의 원인과 치료, 관리까지 낱낱이 알아보자.

## 수술 후 재발과 전이의 진행과 치료

암에 걸린 환자를 절망하게 하는 말이 있다면 "재발했습니다"라는 말일 것이다.

대장암은 국소 재발보다 전신 전이가 더 빈번하다. 전이는 간과 폐에 가장 흔한데, 간 전이는 간기능 검사에서 정상을 보이는 경우도 많으므로 복부 CT나 복부 초음파 검사로 진단한다. 폐 전이는 보통 흉부 X-선 검사나 폐 CT로 진단한다. 국소 진행성 직장암의 경우는 국소 재발의 위험도가 높은 편이다.

## ◉ 재발의 두 가지 형태, 국소 재발과 원격 전이

재발의 형태는 크게 국소 재발과 원격 전이로 구분하는데 통칭하여 재발이라고 한다.

국소 재발은 골반 안의 직장암이 있었던 부위와 주변 부위에서 재발하는 형태로, 문합부나 문합부 주변, 골반강 내 또는 비뇨기계나 생식기계 등에 암세포가 침범하여 재발한다. 이는 수술적 치료, 항암약물치료, 방사선치료 후에도 골반 안에 남아 있던 세포가 다시 자라난 것으로 보고 있다.

원격 전이는 암세포가 혈관을 통해 여러 곳으로 전파되는 형태로, 대장 이외의 장기, 즉 간, 폐, 뼈 등에서 재발한다. 혈액을 통한 전이는 암세포가 혈액을 타고 전신에 퍼지고, 림프절 전이는 암 주변에 있는 림프절에 암세포가 침범해 림프절이 비대해진다. 이는 혈관 내에 존재하던 미세한 암세포가 여러 장기로 옮겨진 후에 그곳에서 자라나는 것으로 보고 있다.

재발의 형태는 국소 재발이나 원격 전이가 각각 따로 나타나는 경우가 많으나, 국소 재발 및 원격 전이가 함께 나타나는 경우도 있다.

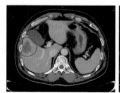 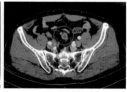 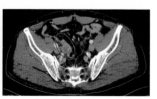

간 전이          림프절 전이          국소 재발

대장암은 간이나 폐에 전이되거나 복강 내에 재발하는 경우가 많고, 직장암은 국소 재발이나 폐, 간 전이가 흔하게 일어난다.

국소 재발한 직장암은 위치에 따라서 구분할 수 있다. 재발한 종양이 골반의 중심에 위치한 경우, 양측 골반 벽 쪽에 위치한 경우, 꼬리뼈 쪽에 위치한 경우로 구분해볼 수 있다. 위치에 따라 구분하는 것은 어느 위치에 재발했느냐에 따라 수술적 절제 가능 여부가 판단되기 때문이다. 여러 가지 상황 중 국소 재발의 경우는 일단 수술적인 치료로 근치적 절제가 가능한 경우가 많아 완치 확률이 상대적으로 높다.

반면, 원격 전이로 인한 재발의 경우는 국소 전이보다는 완치 가능성은 낮지만 항암약물치료로 진행을 더디게 하거나 병변의 감소

및 소실을 유발해 수술적 치료를 가능하게 하는 경우도 많다. 따라서 완치가 불가능하다고 포기하지 말고 반드시 주치의와 충분한 상의를 통해 적절한 치료 방법을 찾는 것이 현명한 방법이다.

### ● 재발은 수술 후 1~2년 사이에 흔하다

재발에 대해 두려움을 갖지 말라고 하지만 별다른 통증이나 증상 없이 재발이 일어나는 경우도 있기 때문에 항상 환자들은 두려움이 클 것이라 생각한다. 대장암은 근치적 절제술을 받더라도 20~50%는 재발할 수 있는 암인데, 12~24개월 사이가 가장 흔한 시기이다. 그리고 대장암 재발의 70%가 24개월 이내에 발생하며, 5년이 지나면 재발 가능성이 매우 줄어든다. 재발의 조기 발견을 위해 정기적인 추적검사 및 진찰이 매우 중요한 이유이다.

암 환자들이 재발 진단을 받게 되면 처음 진단을 받을 때보다 받는 충격이나 불안감은 더욱 크다. 이런 시기에 의료진에 대한 불신은 어쩌면 당연한 반응일 수 있다. 그러나 의료진과의 충분한 대화를 통해 효과적인 치료 방법 및 방안을 찾는 것이 가장 중요하다.

# 재발된 종양의 치료 방법

### ◉ 재발의 첫 번째 치료는 수술

재발의 첫 번째 치료 방법은 수술적 제거다. 수술로 재발한 종양을 완전히 제거하는 것만이 완치를 기대할 수 있는 치료 방법이다. 그러나 재발한 종양의 위치 때문에, 그리고 주변 장기 및 혈관으로의 침범 때문에 수술적 절제가 쉬운 것만은 아니다. 특히 국소 재발이 주로 발생하는 직장암의 경우에는 골반 내 여러 장기들을 한꺼번에 제거해야 하는 경우도 있고, 수술적 절제 후 암세포가 남게 되는 경우도 있다. 이런 경우 항암약물치료나 방사선치료를 통해 암 병변을 감소시켜서 완전절제의 가능성을 높인다. 또는 완치가 아닌 환자의 삶의 질을 높이고 생존 기간을 연장하기 위해서 수술을 시행하는 경우도 있다.

### ◉ 재발한 직장암의 방사선치료는 두 가지 경우

재발한 직장암에 대한 방사선치료에는 두 가지 경우가 있다.

첫째, 이전의 암 치료에서 방사선치료를 받지 않았고 재발한 경우이다. 이러한 경우에는 수술 전에 방사선치료를 시행하여 종양의 크기를 줄이기도 하고, 주변에 눈으로는 확인되지 않는 미세한 암세포들을 죽여서 근치적 수술의 효과를 높이는 역할을 한다. 동시에 항암제를 투여하여 방사선치료의 효과를 상승시킨다.

둘째, 이전의 암 치료에서 방사선치료를 받았는데 다시 골반 안에 재발한 경우이다. 방사선치료를 같은 골반 부위에 다시 시행할 때는 부작용이 발생할 수 있어 치료 결정 시 환자와 의사 간의 충분한 소통이 필요하다. 재발한 종양이 수술적 절제가 가능하다면 방사선치료를 수술 전에 먼저 시행하고 수술을 진행하는 경우도 있고, 바로 수술을 시행하고 방사선치료는 생략하는 경우도 있다. 또한 방사선치료만을 시행하고 수술을 하지 않는 경우도 있다. 이는 병의 심각한 정도와 환자의 상태에 따라 결정된다.

## ◉ 완전절제가 어려운 경우, 고선량의 방사선치료

재발한 종양이 완전절제하기 어렵다고 판단되는 경우에는 고선량의 방사선치료를 시행하는 방법을 생각해볼 수 있다. 재발한 종양이 양측 골반 벽에 위치하고 있거나 꼬리뼈에 붙어 있어서 수술적 제거가 어려운 경우가 여기에 해당된다. 고선량의 방사선치료는 방사선치료만으로 종양을 모두 없애거나, 종양이 더 이상 커지지 않게 막고자 하는 목적에서 시행한다.

고선량의 방사선치료 후 수술적 절제는 상처 치유가 잘 되지 않을 수 있어 종양의 치료 반응을 관찰하면서 결정하는 것이 좋다. 그리고 이전의 암 치료에서 방사선치료를 받은 조직에 다시 고선량의 방사선이 조사되면 부작용이 나타날 수 있다. 따라서 방사선종양학과 의사의 세밀한 방사선치료 설계가 필수사항이다.

### ◉ 효율적인 방사선치료, 토모테라피

가장 효과적인 방사선치료는
종양에는 높은 선량의 방사선
을 조사하는 반면, 정상 장기에
는 최소의 방사선이 조사되도
록 하는 것이다. 이를 위해 방
사선치료 기술의 발전이 거듭

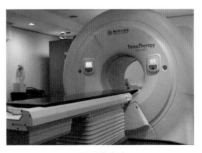

토모테라피

되어 왔고, 토모테라피가 그 대표적인 치료기기 중의 하나이다.

토모테라피는 CT와 방사선치료 장비(선형가속기)를 하나로 통합
한 시스템이 가장 큰 특징이다. CT를 이용하여 방사선치료 직전에
종양과 주변 정상 장기의 위치를 확인한 후 방사선치료를 시행한다.
또한 선형가속기가 CT 촬영과 비슷하게 360° 회전하면서 방사선을
조사하고, 방사선의 세기도 조절할 수 있어 종양의 모양에 맞게 방
사선치료가 가능하다. 즉, 치료 전에 종양의 위치를 다시 확인하고
종양의 모양에 맞게 방사선치료를 하여 최대의 종양 치료 효과와 최

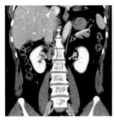
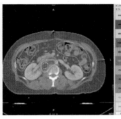
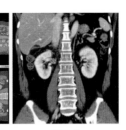

**치료 전**
림프절 전이로 재발됨

**토모테라피 치료**

**치료 후**
림프절 전이가 없어짐

소의 정상 장기 손상의 두 가지 목적을 동시에 달성할 수 있다. 이러한 특징은 방사선치료를 이미 시행받은 환자가 다시 방사선치료를 해야 하는 경우에 두 번의 방사선치료에 의한 정상 장기의 손상을 최소화하는 데 매우 유용하다.


# 재발 치료 후 마음가짐

암이라는 질병에 대한 심리적 압박감과, 질병 경과와 치료과정에서 발생하는 여러 가지 신체적 불편함 때문에 변화와 어려움을 겪게 되는 수가 있다. 어떤 경우에 있어서는 심한 불안감과 우울증, 분노를 느끼기도 한다. 그러나 수술 후 완쾌되었음을 기쁘게 생각하고 가능한 한 정상적인 생활을 유지하면서 희망을 가지는 마음자세가 매우 중요하다.

### ◉ 암을 이겨낼 수 있다는 긍정적 태도가 중요하다

치료과정에서의 불편함은 일시적인 것으로 병을 이겨내기 위한 과정이라 생각하고, 큰 수술도 이겨냈으니 무엇이든 자신 있다는 자신감을 가지고 긍정적인 태도를 유지하는 것이 중요하다.

또한 환자의 상태를 가장 잘 알고, 병의 치료를 위해 최선을 다하는 의료진과 신뢰관계를 잘 유지하는 것도 중요하다. 불편한 증상이 있을 때는 치료받은 병원의 간호사실, 응급실, 외래 등 병원의 각종 창구를 통해 상의한다. 주변에서 개인적인 경험이나 귀동냥으로 들은 근거 없는 치료 방법 등은 시간과 돈, 체력을 소모시키고 치료에 지장을 주기 때문에 조심할 필요가 있다.

그리고 환자라는 생각보다는 병을 이긴다는 마음으로, 가능하면 평소 하던 일들을 스스로 해결한다. 그러면서 기분이나 심정을 주변의 친구나 가족들과 함께 나누려는 태도를 가지는 것이 좋다. 병을 혼자 짊어지는 것이 때로 힘겨울 수 있지만 고통은 나누면 적어진다. 이미 치료과정을 경험한 다른 암 환자와 대화를 나누는 것도 좋은 방법이다.

재발암 투병 중이라고 해서 정상적인 생활이 어려운 건 아니다. 정상적인 사회생활을 하되, 술과 담배는 하지 않는다. 술은 전혀 마시지 않거나, 마시는 경우 와인 1잔, 맥주 1잔 정도로 제한한다. 담배는 절대로 피우지 않는다.

---

**TIP 마음을 읽는 장**

몸도 인간의 감정을 느낀다고 한다. 그러나 감정이 몸에 미치는 영향에 대해서 의식적으로 조절하기는 어렵다. 인간의 감정에 가장 분명하게 영향을 받는 곳이 바로 장이다. 영국 의사협회의 연구에 의하면, 자원자를 대상으로 실험한 결과, 불안은 장 아랫부분의 기능을 마비시키며 화는 장의 활동을 격렬하게 한다고 한다. 장의 건강을 위해서라도 스트레스를 적극적으로 해소하는 생활을 하고, 긍정적이고 적극적인 마음자세를 갖는 일이 중요하다. 특히 대장암 수술을 했다면 더욱 적극적으로 긍정적일 필요가 있다.

## ◉ 심리적 변화에 대비해야 한다

1차 항암약물치료든 재발에 따른 항암약물치료든, 항암약물치료를 받아야 한다는 불안감, 바뀌게 될 일상생활에 대한 두려움과 걱정으로 우울해지기 마련이다. 항암약물치료를 시작하면 치료 스케줄에 따라 예전의 일과표를 변경해야 하고, 또한 치료에 따른 부작용으로 건강상태가 나빠져 힘이 든다. 치료 시 환자의 정서적인 안정이 신체 건강 못지않게 중요하므로 환자는 겁이 나거나 부정적인 생각이 든다면 주위에 도움을 청하는 것이 좋다.

친구나 가족 혹은 주변의 다른 환자, 종교인 등 이야기를 나눌 대상이 있다는 것은 큰 도움이 되며, 필요하다면 정신과 전문의의 도움을 받는 것도 좋다. 어려움에 처해 있을 때 도움을 청하는 것은 전혀 부끄러운 일이 아니므로 적극적으로 주변사람들과 교류하도록 하자.

환자는 이러한 주변사람들과의 교류를 통해 자신의 병과 치료에 대해 받아들여, 모르는 것에 대한 불안감을 갖지 않도록 해야 한다. 불안감과 같은 감정을 인식하고 조절하는 데는 치료 기간 동안 일지나 일기를 쓰는 게 도움이 된다. 하루의 일과와 생각을 기록해두면 치료를 받는 동안 갖게 되는 느낌들을 보다 구체적이고 확실하게 정리할 수 있고, 의사나 간호사에게 질문을 할 때도 유용하다. 또한, 일기 외에도 컨디션이 좋아질 경우에 할 일들을 미리 계획해보는 것도 긍정적인 감정을 갖는 데 좋다.

그리고 가능하다면 운동을 해보자. 운동은 자신감을 높이고 긴장감이나 걱정에서 벗어날 수 있도록 도와줄 뿐 아니라, 식욕을 돋워주고 암의 재발률을 낮추는 등 근본적으로 암 예방에 좋은 신체활동이기 때문이다.

# 수술 후 식생활과 운동

대장은 음식의 종착역이다. 그런데 대장에 암이 생겨 완치를 위한 수술을 받고도 평소와 같은 식습관을 유지해도 될까? 대장을 수술한 후에는 몸 상태에 맞는 새로운 식습관을 들여야 한다. 이와 더불어 몸을 건강하게 하는 운동을 통해 대장의 건강까지 챙기는 것이 좋다. 어떤 음식과 운동이 좋은지 알아보자.

## 대장암 수술 후의 식사관리

대장 절제 후에는 남아 있는 장의 길이와 잘라낸 장의 위치에 따라 음식물의 흡수 정도가 달라지므로 이에 따른 식사관리가 필요하다. 대장 절제수술은 크게 횡행 또는 하행결장을 잘라낸 경우와 맹장 또는 상행결장을 잘라낸 경우로 나눠볼 수 있다. 횡행 또는 하행결장을 절제한 경우에는 장의 내용물이 어느 정도 고형화되어 죽상을 이루고 있으므로 수분 손실이 적고 배변 조절이 가능하다. 반면, 맹장 또는 상행결장을 절제한 경우에는 장 내용물이 액상이기 때문에 수분 및 전해질 소실 가능성이 커진다.

일반적으로 초기에는 수분, 염분, 무기질이 많이 손실된다. 하지만 남아 있는 장의 길이에 맞춰 적응하여 수분과 전해질의 균형이 회복된다. 이러한 흡수에 대한 적응도 남아 있는 장의 길이가 길수록 더 빨리 적응한다. 이는 신체에 필요한 영양소의 일정 흡수량을 처리할 때 장의 길이에 따라 흡수 속도가 다르게 적용되기 때문이다. 이런 이유로 장의 절제 범위가 넓을 경우 절제된 장과 함께 그만큼의 소화흡수기능도 같이 떨어져서 영양불량이나 설사가 발생하게 된다.

## ◉ 대장암에 좋은 음식으로 편식하라

대장 수술 후에 설사, 불규칙하면서 빈번한 배변, 간혹 변실금 등이 초래되며 복부팽만, 빈번한 가스배출 등을 호소한다. 이러한 증상은 대장 혹은 직장을 절제한 후 발생하는 생리적인 현상 및 결과이다. 대장 수술 후에는 섬유질과 잔사의 섭취량을 줄여 대변의 양과 빈도를 줄이도록 저잔사식을 한다. 저잔사식이란 장 수술을 전후하여 변의 양과 빈도를 줄이기 위해 실시하는 식사요법으로, 이를 통해 장에 대한 자극을 최소화하기 위한 것이다.

저잔사식을 위해서는 소화흡수 후 섬유소, 지방, 찌꺼기 등이 적게 남는 음식을 선택해야 한다. 수술 후 1개월을 전후로 차츰 수술 부위가 회복되고 장의 기능 또한 적응되면서 점차 정상 식사로 진행한다. 이때 환자 개인적으로 통증이나 불편감을 주는 식품만을 선별

적으로 제한하도록 하며, 지나치게 장기간 저잔사식을 지속하는 것
은 장의 정상적인 운동을 위축시키고 변비를 초래할 수 있으므로 바
람직하지 않다.

● 올바른 식습관을 만들어간다 하루 세끼 이상의 식사를 규칙
적으로 섭취하여 배변습관을 규칙적으로 유지한다. 또 음식을
충분히 씹어 식사를 천천히 하도록 한다. 질기거나 딱딱한 음
식을 잘 씹어 먹지 않는 경우, 체내에서 덩어리를 형성하여 부
분적인 장폐색을 일으킬 수 있으므로 음식물의 소화흡수를 돕
고 수술한 부위가 막히지 않도록 음식을 잘 씹어 먹는 것이 매
우 중요하다. 따라서 음식을 잘게 썰어 준비하는 것도 도움이
될 수 있다.

● 적절한 단백질을 섭취한다 대장암 발병의 원인으로 육류 섭
취가 알려지면서 환자들이 육류를 기피하는 것을 볼 수 있다.
그러나 대장암 발병에는 육류의 과도한 섭취가 문제가 되는
것이므로 수술 후 상처 회복을 위해 적당한 양의 단백질 섭취

---

**TIP 영양제는 도움이 되지 않나?**

입으로 식사가 불가능하거나 검사를 위해서 할 수 없이 금식을 하게 되는 경우를 제외하고는 영양제
가 큰 도움이 되지 않는다. 5% 포도당 수액은 1L에 영양분이 200kcal밖에 되지 않으며 아미노산 제제
나 지방산 제제도 가격에 비해, 실제로 먹는 영양분에 비해 낮은 효율의 에너지 공급밖에 하지 못한
다. 입맛에 맞는 음식을 조금이라도 먹는 것이 훨씬 낫다.

는 필요하다. 육류 섭취 시에는 지방이나 질긴 부위를 제외한 부드러운 살코기 위주로 선택하고, 생선, 달걀, 두부 등의 단백질 급원을 매끼 섭취하도록 한다.

●식사일기를 쓴다 사람에 따라 식품에 대한 순응도가 각기 다를 수 있으므로 새로운 음식을 시도할 때는 한 가지씩 점차적으로 시도해보도록 하며, 수술 후 1~2개월 정도는 섭취한 음식의 종류와 배설 양상을 기록하며 관찰하는 것이 도움이 된다.

●수술 후 초기에 주의해야 할 음식을 알아두자 고춧가루, 고추장과 같이 매운 음식, 자극적인 향신료 등의 섭취는 주의하며, 가능한 익힌 음식 위주로 섭취한다. 채소는 섬유질이 많은 채소를 제한하고 부드럽게 조리하며, 1회 섭취량이 과하지 않도록 한다. 수술 직후에는 생과일의 섭취보다는 주스류로 마시는 것이 좋으나 1회 섭취량이 과다하지 않다면 소량씩 생과일로 섭취하는 것도 가능하다. 말린 음식이나 지나치게 단단

| 가스를 많이 발생시키는 식품 | 콩류, 양파, 유제품(우유, 요구르트 등), 탄산음료, 맥주, 음식을 빨대로 먹는 것 |
|---|---|
| 변을 묽게 하는 식품 | 콩류, 자두 혹은 자두주스(푸룬주스), 찬 우유, 풋과일, 지방을 많이 함유한 라면 및 튀김류, 술, 아이스크림 |
| 소화가 잘 안 되는 식품 | 셀러리, 견과류(호두, 밤, 잣 등), 옥수수, 팝콘, 파인애플, 말린 과일(바나나 말린 것, 건포도 등), 과일껍질 |
| 변비를 일으키는 식품 | 바나나, 감, 밤, 토란, 인절미, 말린 과일 |
| 악취를 유발시키는 식품 | 많은 양의 파, 마늘, 볶은 콩, 달걀, 치즈, 양파 |

**수술 후 초기에 주의해야 할 음식**

한 음식의 섭취는 피한다.

수술 후 초기에는 미음부터 시작하여 죽, 진밥, 쌀밥의 단계로 이행하며, 적응도에 따라 천천히 잡곡밥으로 바꿔나가도록 한다. 표의 식품들은 가스가 발생할 수 있는 식품, 변을 묽게 하는 식품, 소화가 잘 안 되는 식품 등으로 증상에 따라 수술 후 초기에 섭취를 주의한다.


# 항암치료 중의 식사관리

항암약물치료를 받는 환자는 입맛이 변하거나 구강건조증, 메스꺼움, 구토 등의 발생으로 식욕이 감소하고 설사, 변비 등의 부작용이 나타나면서 적절한 영양 섭취가 어렵게 된다. 부적절한 영양 섭취는 환자의 영양상태를 악화시킬 수 있으므로 이들 부작용을 완화시키면서 균형 있는 영양 공급을 위한 적절한 영양관리가 필요하다. 항암약물치료, 방사선치료에 따른 식사요령은 다음과 같다.

## ● 식욕부진

식욕부진은 항암약물치료 시 가장 일반적으로 나타나는 증세로, 메스꺼움이나 구토, 미각 변화가 동반되어 식사 섭취량이 현저히 감소하게 된다. 이러한 경우 다음의 방법이 도움이 될 수 있다.

① 식사 시간에 구애받지 않고 입맛이 당길 때 먹되, 스스로에게 강요하지 않는다.

② 양념을 강하게 사용하면 식욕을 돋워줄 수도 있다. 찌개류, 초고추장 무침, 양념구이, 조림류, 젓갈류, 양념장을 이용한다.

③ 식사량이 아주 적은 경우는 간식으로라도 섭취량을 늘릴 수 있도록 한다.

④ 식사량이 계속 부족할 경우에 특수 영양보충 음료(그린비아, 뉴케어 등)를 이용한다.

⑤ 식사 전에 물이나 음료를 많이 마시면 식욕이 떨어질 수 있으므로 적당한 정도의 양만 섭취한다.

⑥ 적은 양을 자주 먹는다.

⑦ 크래커와 같이 마른 음식이나 신선한 채소, 과일 등을 먹어 식욕을 증가시킨다.

⑧ 열량 밀도가 높은 음식을 이용한다(밀크셰이크, 에그노그 등).

● **메스꺼움**

메스꺼움은 종양 그 자체 또는 항암약물치료에 의해 유발된다. 치료 후 2~3일 지나면 가라앉기는 하지만, 이 증상으로 인해 식사량이 현저히 떨어지기 때문에 적절히 조절해야 한다.

① 적은 양을 천천히 자주 먹는다.

② 메스꺼움이 심할 때는 음식을 먹지 않는 것이 좋다.

③ 식사 전후에 다량의 물이나 음료수를 마시는 것은 피한다.

④ 시원한 음료수가 도움이 될 수 있다.

⑤ 향이 강하거나 기름진 음식, 뜨거운 음식은 메스꺼움을 심하게 할 수 있다.

⑥ 식사 후 갑자기 움직이지 않도록 하고 입안을 헹구어 청결하고 상쾌한 상태를 유지한다.

⑦ 치료 1~2시간 전에는 음식을 먹지 않도록 한다.

### ◉ 구토

구토는 약물이나 음식 냄새, 병원에 입원해 있는 것 자체에 의해 유발될 수 있다. 일단 메스꺼움이 가라앉으면 구토를 예방할 수 있으며, 다음과 같은 방법이 도움을 줄 수 있다.

① 구토가 가라앉기 전에는 먹거나 마시지 않는 것이 좋다.

② 일단 구토가 가라앉고 나면 유동식(맑은 미음, 음료, 국물 등)이나 죽과 같이 부드러운 음식을 조금씩 자주 섭취한다.

③ 수분이 적은 음식, 기름기 없는 음식, 부드러운 과일 및 채소 등이 도움이 될 수 있다.

④ 구토가 심할 경우 의사와 상담한 후 진토제(항구토제)를 먹을 수도 있다.

### ◉ 입맛 변화

종양 자체 혹은 약물에 의해 입맛이 변화되고 냄새에 민감해질 수 있다. 특히 고기나 생선 등의 식품이 쓰거나 금속성 맛이 나고, 대부분의 음식이 맛이 없게 느껴질 것이다. 입안에 문제가 있는 경우에 정도는 더 심해질 수 있고 개인에 따라 느끼는 정도가 다를 수 있지만 대개 치료가 끝나면서 해결된다. 다음 방법을 이용해보도록 한다.

① 고기가 싫으면 생선, 달걀, 두부, 콩, 우유나 유제품으로

단백질을 섭취한다.

② 고기나 생선을 조리할 때 향이 있는 양념(레몬즙과 같은 과일즙, 맛술 등)과 새콤달콤한 소스(식초, 설탕, 케첩 등), 강한 양념(마늘, 양파, 고추장, 카레 등)을 이용하면 도움이 될 수 있다.

③ 깻잎, 브로콜리와 같이 향이 있는 채소를 이용한다.

④ 맛이 역겹게 느껴지는 음식을 억지로 먹지 않는다.


## ◉ 입과 목에 통증

약물에 의해 구강 점막염 또는 식도 점막염이 생긴 경우, 입이나 목이 아파서 음식물을 삼키기가 힘들어질 수 있다. 이럴 때는 다음과 같은 방법을 이용한다.


① 자극적이지 않고 부드러우며 삼키기 쉬운 음식을 이용한다.

- 죽 : 흰죽, 닭죽, 고기죽, 전복죽, 깨죽, 채소죽

- 미음 : 미음, 조미음, 잣미음, 깨미음

- 어육류 : 푹 익혀 잘게 다진 고기나 생선, 연두부찜, 달걀찜, 콩국물, 치즈

- 채소류 : 푹 익힌 부드러운 채소(호박, 가지 등)

- 영양음료 : 미숫가루, 우유, 두유, 떠 먹는 요구르트(요플레 등), 특수 영양 보충 음료(그린비아, 뉴케어 등)

- 과일 간 것 : 바나나, 배, 수박, 토마토 등 시지 않은 과일

- 부드러운 간식 : 우유에 적신 카스텔라, 시리얼(콘플레이크), 젤러트, 밀크

세이크, 수프, 으깬 감자

② 입안이 쓰린 경우에는 빨대를 이용하여 먹는다.

③ 뜨거운 음식은 자극이 될 수 있으므로 차게 또는 상온으로 준비한다.

④ 맛이 강한 음식(짠 것, 신 것, 매운 것, 강한 양념, 마른 빵, 비스킷, 주스 등)은 피한다.

⑤ 음식이 넘어가기 좋게 소스나 국물을 첨가하거나 음료와 함께 먹는다.

## ● 구강건조증

① 레모네이드처럼 아주 달거나 신 음식을 먹으면 침 분비가 많아질 수 있다(입안이 약하거나 인후통이 있는 경우에는 사용하지 않는다).

② 무설탕껌 또는 무설탕의 딱딱한 사탕을 먹도록 한다.

③ 부드러운 음식 등 삼키기 쉬운 것을 먹는다.

④ 입술연고 등을 사용하여 입술이 촉촉한 상태로 유지되도록 한다.

⑤ 국물이 있도록 조리하여 삼키기 쉽게 한다.

⑥ 물을 조금씩 자주 마신다.

⑦ 침의 점성이 증가하면 연식이나 유동식을 한다.

⑧ 유제품을 제한하고 기름진 음식, 건조한 음식을 피한다.

## ● 설사

① 급성 설사는 음식 섭취를 중단하고 맑은 미음이나 보리차 등을 마셔 탈수를 예방하도록 한다.

② 강한 양념(고춧가루, 카레, 후추 등)이나 카페인이 든 커피, 홍차, 탄산음료 등은 장을 자극하므로 피하는 것이 좋다.

③ 지방이 많거나 기름에 튀긴 음식은 설사에 좋지 않으며, 설사가 심한 경우에는 당분간 우유와 유제품 섭취에 주의한다.

④ 고섬유질 채소(양배추, 옥수수, 콩, 브로콜리 등)는 소화되기 어려우므로 삼간다.

⑤ 설사로 손실된 전해질 보충을 위하여 이온음료나 염분, 칼륨 등이 함유된 식품을 먹도록 한다.


## ● 변비

① 물이나 음료수를 많이 마시고, 가능한 신체의 움직임을 증가시킨다.

② 섬유질이 많은 곡류나 채소, 생과일 등을 자주 먹는다.

③ 자기 전이나 아침에 일어나서 찬물을 마셔 장운동에 도움을 준다.

④ 수분 섭취를 충분히 하여 변을 부드럽게 한다.

⑤ 규칙적으로 식사를 하며, 음식 섭취량이 감소되지 않도록 한다.

## ● 면역기능이 약할 때

영양상태가 좋지 않거나 항암약물치료를 할 경우 면역기능이 떨어지는 경우가 있다. 이때는 면역기능이 저하된 상태이므로 미생물, 바이러스, 곰팡이 등에 오염될 수 있는 식품의 섭취를 제한하거나 주의하면서 면역기능이 회복될 수 있도록 충분한 영양 공급을 하는 것이 중요하다. 가급적 익힌 음식을 섭취하는 것이 좋으며, 신선한 과일과 채소는 풍부한 영양소 섭취를 위해 청결하게 취급하거나 세정한 것으로 섭취할 수 있다.

① 충분히 익히지 않은 육류, 생선류, 조개류 등을 피하고, 먹을 때는 완전히 익혀서 섭취하도록 한다.

② 여름철인 경우, 특히 물은 끓여서 마시도록 한다.

③ 상온이나 오염위험온도(7~60℃)에서 음식을 오래 방치할 경우 오염 가능성이 크므로 버리거나 다시 한 번 끓여서 섭취하도록 한다.

④ 식품은 사용하기 전 반드시 유효기간을 확인하여 가급적 최근에 제조된 것을 선택하고, 제조일자가 오래 경과된 것은

---

**TIP 고단백질 식사는 해로운가?**

그렇지 않다. 오히려 적당량의 단백질 섭취는 우리 몸이 항암치료에 견딜 수 있도록 체력 유지에 도움을 준다. 단백질 섭취를 하지 않으면 우리 몸이 암세포보다 더 빨리 지친다. 그 이유는, 암세포는 우리 몸보다 더 빨리 자라고 우리 몸에서 영양분을 빼앗아 자라기 때문이다. 즉, 단백질을 섭취하든지 하지 않든지 상관없이 암세포는 우리 몸의 영양분을 빼앗아 간다는 말이다.

피하도록 한다.

⑤ 음식을 조리하는 곳과 조리기구, 식기는 항상 청결하게 유지한다.

# 치료 후의 식사관리

치료가 종료되고 수술 후 상처가 아물며 육체적, 정신적으로 회복되기 시작하면서 식욕 또한 정상으로 돌아오게 된다. 이때부터는 치료 중의 고단백, 고열량 식사보다는 활동 상황에 알맞은 열량과 건강에 유익한 식품 선택을 통한 건강한 식습관을 계획해야 한다.

## ◉ 표준체중을 유지한다

건강한 식습관의 목표는 표준체중을 유지하는 것이다. 표준체중이란 일상생활에서 건강을 유지하는 데 가장 적절한 체중으로, 표준체중을 유지하는 것은 암뿐 아니라 당뇨병, 고혈압, 심장 질환 등 각종 성인병 예방과도 직결된다.

이러한 표준체중을 유지하기 위해서는 평소 활동량에 맞는 열량의 섭취와 정기적인 운동을 통해 꾸준히 관리되어야 한다. 그리고 내 몸에 맞는 영양 필요량을 토대로 적절한 식품의 종류와 양을 선택해야 한다. 식품은 그 자체가 보약이 아니라 영양소의 균형과 조화를 이루

며 제대로 먹어야 보약이 됨을
인식해야 한다.

### ◉ 암 예방을 위한 식사지침을 실천한다

① 표준체중과 적정 체지방량을 유지한다.

- 자신의 체질량지수와 체지방량이 정상 범위에 속하도록 한다.

- 체중 또는 체지방량 감소가 필요한 경우 열량 섭취량을 줄인다.

- 중년기 이후에는 복부비만이 되지 않도록 특히 주의한다.

- 섬유소가 많고 지방이 적은 식품을 위주로 식사한다.

- 조리 시에는 설탕과 기름을 적게 사용한다.

- 가공식품, 패스트푸드, 단 음료, 과자류 등은 가급적 적게 먹는다.

② 전곡류와 콩류를 많이 먹는다.

- 도정이나 가공이 덜 된 곡류를 주로 사용한다.

- 다양한 곡류와 콩류를 사용하여 식사를 구성한다.

- 곡류는 건조하고 시원한 곳에 보관하고 오래 저장하지 않는다.

③ 여러 가지 색깔의 채소와 과일을 먹는다.

- 매일 5가지 색(빨강, 초록, 노랑, 보라, 하양)의 채소와 과일을 먹는다.

- 매끼 김치 외에 3~4가지 이상의 채소반찬을 먹는다.

- 채소와 과일은 가공되지 않은 신선한 것을 구입하여 바로 사용한다.

- 과일을 매일 1회 이상 먹는다.

④ 붉은색 육류를 적게 먹는다.

- 붉은색 육류는 1회에 1인분, 1주일에 2회를 넘지 않도록 먹는다.

- 가급적이면 햄, 소시지 등의 육가공품을 먹지 않는다.

- 육류 조리 시에는 직화구이를 피하고 탄 부분을 먹지 않는다.

- 눈에 보이는 지방을 제거하고 먹는다.

- 가금류(닭, 오리 등) 섭취 시에는 껍질을 제외하고 먹는다.

⑤ 짠 음식을 피하고 싱겁게 먹는다.

- 조리할 때는 소금, 간장의 사용을 줄인다.

- 국물을 짜지 않게 만들고 적게 먹는다.

- 김치는 덜 짜게 만든다.

- 음식을 먹을 때 소금, 간장을 더 넣거나 찍어 먹지 않는다.

- 젓갈, 장아찌, 자반 등 염장식품을 적게 먹는다.

⑥ 저지방우유를 매일 1컵 정도 마신다.

- 유제품은 저지방 제품을 선택한다.

- 성인 여자의 경우 하루에 1컵을 마신다.

- 중년 이후 남성은 하루에 1컵을 넘지 않는다.

⑦ 술은 가능한 한 마시지 않는다.

- 마시는 경우 남자는 2잔, 여자는 1잔을 넘지 않는다.

⑧ 영양보충제는 특별한 경우에만 제한적으로 사용한다.

- 영양소는 다양한 음식을 통해 섭취한다.

- 임신부와 영양결핍인 경우에 한해서 영양보충제를 사용한다.

## ● 암 환자에게 좋은 음식이 따로 있나?

암 환자에게 특별히 좋은 음식은 없다. 다만 좋은 음식 섭취 방법이 있을 뿐이다. 바람직한 식사관리는 크게 치료 시기와 치료 이후로 나누어 살펴볼 수 있다. 첫째, 수술, 항암약물치료나 방사선치료 등의 치료 방법에 따라 그 치료 기간 동안 발생되는 섭취의 문제점을 잘 알고 극복하여 체력을 유지하는 것이 중요하다. 둘째, 치료가 끝난 후에는 재발을 막기 위한 예방 차원에서 올바른 식사관리가 필요하다. 이처럼 치료 단계별로 환자의 상태와 기호 등에 따라 적정한 영양관리를 하는 방법이 다르다.

암을 치료하는 음식은 없어도, 암 환자에게 나쁜 음식은 있다. 특히 항암치료를 하는 도중 간에 부담을 주는 음식이나 약은 피해야 한다. 간 기능을 약화시키는 한약들이 종종 있기 때문에 항암치료 중 보약이나 한약을 먹지 말 것을 권한다. 간이 중요한 이유는, 우리 몸에서 외부에서 들어온 물질을 해독하고 대사시키는 기관이기 때문이다. 항암제 역시 간에서 대사되므로 간에 부담을 줄 수 있는데, 여기에 다른 약재까지 섭취하면 간에 이중으로 부담이 가게 된

---

**TIP** 유기농 과일과 채소만 먹어야 할까?

꼭 그렇지만은 않다. 과일과 채소의 암 예방 효과는 그 식품 속에 있는 성분에 의한 것이지 유기농이기 때문은 아니다. 물론 유기농 식품에 상대적으로 농약이 적을 수 있으나, 유기농 제품은 일반 과일이나 채소류보다 가격이 더 비싸기 때문에 환자들에게 부담이 될 수 있다. 따라서 일반적으로 재배된 농산물을 깨끗하게 세척하거나 껍질을 벗겨서 섭취하여 과일과 채소의 항암효과를 누리는 것이 비용 및 효과 면에서도 더 좋다.

다. 간 기능이 약화되면 정상적인 치료 계획을 진행할 수 없는 경우도 발생하므로, 특히 치료 중에는 일상적으로 먹는 음식을 섭취하는 것이 중요하다.

## 치료 단계에 맞는 운동법

대장암은 비교적 생활습관과 관련이 높은 질환으로, 발병률이 꾸준히 증가하고 있는 추세다. 지금까지 나온 연구 결과에 따르면 운동과 신체활동은 대장암의 발병을 예방하고, 대장암을 진단받은 후에도 치료과정에서 오는 부작용을 최소화하며, 더 나아가 치료의 효율성을 높이고 재발을 예방하여 환자의 생존율을 높이는 것으로 나타났다.

### ◉ 암 발병의 근본적 예방은 운동이다

운동이 암의 발병을 근본적으로 예방한다는 말은 이미 정설로 받아들여지고 있다. 최근 발표된 19개의 연구 결과를 분석해보니 운동은 암의 발병을 남성의 경우 22% 예방하고, 여성의 경우 29% 예방한다는 결과가 나왔다. 특히 대장암은 신체활동과 매우 밀접한 관계가 있는데, 신체활동이 많으면 많을수록 평균적으로 40~50%, 크게는 70%까지 대장암을 예방할 수 있는 것으로 나타났다.

운동이 암의 재발을 예방해준다는 연구 결과 또한 최근에 많이 발표되고 있다. 신체활동은 이미 대장암을 판정받은 사람들에게서도 재발 및 사망률을 감소시킨 것으로 나타났다. 1주일에 4시간 정도 빠른 걸음으로 걷는 강도, 즉 매일 40분 정도의 걷기, 조깅이나 수영 또는 테니스 등의 운동을 20분 정도 하면 예방률을 높일 수 있다. 결국 운동은 암 환자의 신체적, 정신적 그리고 사회적 건강을 증진시키고, 더 나아가 삶의 질을 향상하며 생존율을 높여준다.

### ● 암 환자의 운동법도 다양하다

개인에 따라 운동하는 방법이나 시간, 강도 등에 차이가 있지만, 근본적으로 운동은 만병을 예방하는 가장 효율적인 대안이다. 100세 시대라고 일컫는 현대, 진심으로 100세까지 장수하려면 운동은 필수다. 건강한 사람들과 마찬가지로 환자들 역시 자신의 몸 상태에 맞는 적절한 운동을 택하는 일이 중요하다.

또한 암 환자라고 해서 다르지 않다. 암 환자에게도 암의 재발이나 완치를 위해 운동은 필수라고 생각해야 한다. 예전에는 운동을 한다고 하면 대부분 걷기, 달리기 등의 유산소운동을 생각했다. 그러나 암, 당뇨병 그리고 심혈관 질환과 관련되어 최근 발표되는 연구들을 보면, 유산소운동 이외에도 유연성운동, 근력운동, 침상운동 역시 암 환자들의 건강 증진을 위해서 매우 효과적인 운동으로 소개되고 있다.

## ◉ 치료 단계에 맞는 운동은 어떻게 구분할까?

아무리 몸에 좋은 약이라도 의사의 처방 없이 잘못 먹으면 오히려 우리의 건강을 해칠 수도 있다. 심지어 우리의 목숨을 앗아갈 수도 있듯이 몸에 좋은 운동이라도 적절한 시기에 적절하게 해야 약이 되지, 자칫 잘못 운동을 하면 오히려 독이 될 수도 있다.

한 예로, 수술이 얼마 지나지 않은 환자가 운동이 좋다고 해서 심한 통증을 참으며 잘못된 방법으로 운동을 하게 되면 오히려 수술 부위에 손상을 주기도 한다. 항암치료 중인 환자가 고강도 운동을 심하게 하면 오히려 면역기능이 감소되어 치료에 악영향을 줄 수도 있는 것이다.

그렇다면 치료 단계에 맞는 적절한 운동은 어떻게 구분할까? 치료 단계는 크게 5단계로 나눌 수 있으며, 그에 따른 운동법은 다음과 같다.

| 단계 | 목표 | 적절한 운동 |
|---|---|---|
| **수술 후 회복 1단계**<br>(수술 후 1~3일)<br>대부분 침대에 누워 있으며, 거동이 불편한 상태 | • 수술 후 회복 중 체력 유지<br>• 장기의 기능 회복 촉진<br>• 관절 약화 예방<br>• 근력 유지 | 저강도 침상운동, 침대 붙잡고 서기, 짧은 거리 걷기<br>\*1회 운동 시간 : 5~8분, 하루 2회 미만 |
| **수술 후 회복 2단계**<br>(수술 후 4~7일)<br>대부분 침대에 누워 있지만 거동이 가능한 상태, 수술 부위에 통증이 심한 상태 | • 수술 후 회복 중 체력 유지<br>• 장기 기능 회복 촉진<br>• 관절 약화 예방<br>• 근력 유지 및 증진 | 저강도 침상운동, 비교적 긴 거리 걷기, 저강도 근력운동<br>\*1회 운동 시간 : 5~10분, 하루 3회 |
| **수술 후 방사선치료 혹은 항암약물치료 전**<br>대부분 앉아서 생활하며 거동이 불편하지 않은 상태, 수술 부위에 통증이 심하지 않지만 충격이 가해지거나 심한 스트레칭을 할 경우 통증이 있는 상태 | • 심폐체력 향상<br>• 근력 유지 및 향상<br>• 평형성 증진<br>• 유연성 유지 및 증진 | 중강도 유산소운동, 중강도 침상운동, 저강도 근력운동, 평형성운동<br>\*1회 운동 시간 : 10~15분, 하루 2~3회 |
| **방사선치료 혹은 항암약물치료 중**<br>수술과 관련된 통증은 없지만 치료로 인해 체력이 저하되어 있는 상태 | • 심폐체력 유지 및 증진<br>• 근력 유지 및 증진<br>• 평형성 유지 및 증진<br>• 체중 유지 및 감소<br>• 심리적 건강 증진<br>• 체력 유지 및 증진을 통한 효율적인 항암약물치료 및 방사선치료 | 저강도-중강도 유산소운동, 중강도 침상운동, 저강도-중강도 근력운동<br>\*1회 운동 시간 : 15~30분, 하루 1~2회, 1주일 3~5일 |
| **항암약물치료 종료-1**<br>치료는 종료되었지만 발병 전과 비교해 체력이 아직 회복되지 않은 상태 | • 심폐체력 유지 및 증진<br>• 근력 유지 및 증진<br>• 평형성 유지 및 증진<br>• 유연성 유지 및 증진<br>• 체중 유지 및 감소<br>• 심리적 건강 증진<br>• 암의 재발 예방 | 중강도 유산소운동, 저강도-중강도 근력운동<br>\*1회 운동 시간 : 30분, 하루 1~2회, 1주일 3~5일 |
| **항암약물치료 종료-2**<br>치료가 종료되었으며, 발병 전 체력 수준으로 회복된 상태 | • 심폐체력 유지 및 증진<br>• 근력 유지 및 증진<br>• 평형성 유지 및 증진<br>• 유연성 유지 및 증진<br>• 체중 유지 및 감소<br>• 심리적, 사회적 건강 유지 및 증진<br>• 암의 재발 예방 | 저강도-중강도 유산소운동, 저강도-고강도 근력운동<br>\*1회 운동 시간 : 30~60분, 하루 1~2회, 일주일 3~6일 |

\*본 표에 나오는 운동처방은 일반적인 운동처방이므로 암의 종류와 환자의 연령, 현재 체력, 체중 등에 따라 보다 특성화된 운동처방이 필요하다. 단, 걷기 운동(저강도 30~60분)은 몸에 무리가 없는 한 매일 해도 무방하다.

## ◉ 유산소운동

치료 종료 환자의 경우 모든 유산소운동에 참여가 가능하나 가급적
저강도–중강도 운동을 권한다.

- 저강도 : 숨이 차지 않은 정도(걷기, 스트레칭 등)
- 중강도 : 숨이 약간 차고 땀이 나는 정도(빠르게 걷기, 수영, 등산, 가벼운 조깅, 고정식 자전거 타기, 골프, 테니스, 배드민턴 등)
- 고강도 : 숨이 많이 차고 땀도 많이 나는 정도(야외에서 빠르게 자전거 타기, 테니스 복식, 달리기 등)

## ◉ 침상운동

### 저강도

① 목 스트레칭

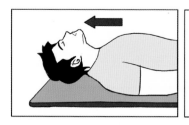 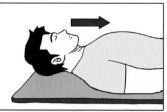

1 똑바로 누운 상태에서 턱을 들어 올려 고개를 뒤로 젖힌 채 10초간 유지한다.
2 반대로 턱을 당겨 배꼽을 바라보고 10초간 유지한다.

3 왼쪽으로 고개를 돌려 볼을 바닥에 대고 10초간 유지한다.

4 오른쪽으로 고개를 돌려 볼을 바닥에 대고 10초간 유지한다.

## ② 손목, 발목 스트레칭

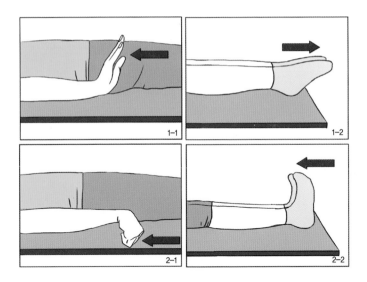

1 차려자세에서 손목은 손바닥이 발 쪽을 향하도록 꺾고, 양 발목은 곧게 편 상태로 10초간 유지한다.

2 반대로 손목은 주먹을 가볍게 쥐고 손등이 발 쪽을 향하도록 꺾고, 양발은 발가락이 몸 쪽을 향하도록 꺾은 상태로 10초간 유지한다.

③ 골반 누르기

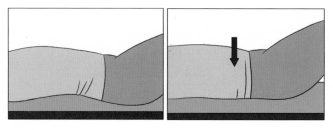

바닥에 무릎을 세우고 누운 뒤 배에 힘을 주고 허리로 바닥을 누른다. 5초씩 두 번
실시한다.

**중강도**

① 다리 스트레칭

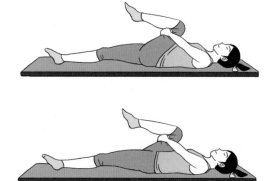

1 바닥에 바른 자세로 누운 뒤 오른쪽 다리는 그대로 두고, 왼쪽 다리를 구부려 양
  손으로 허벅지 뒤쪽을 잡는다. 무릎이 가슴 쪽을 향하도록 10초간 당긴다.
2 반대쪽도 같은 방법으로 실시한다.

## ② 엉덩이 들기

1 바닥에 무릎을 세우고 누운 뒤 양손은 손바닥이 하늘을 보도록 엉덩이 옆에 내려놓는다.

2 엉덩이를 바닥에서 들어 올려 어깨부터 무릎까지 직선이 되도록 만든 후 10초간 정지한다.

3 가능하다면 엉덩이를 올린 채로 한쪽 다리를 곧게 편다.

## ③ 어깨, 가슴 운동

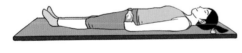

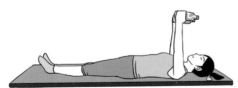

1 물병에 물을 채워 양손에 하나씩 쥔 채 차려자세로 눕는다.

2 양팔을 바닥과 직각이 되게 들어 올린다.

3 들어 올린 양팔을 가슴 높이에서 양옆으로 벌린 뒤 다시 1번 자세로 돌아간다. 연속해서 10회 실시한다.

### ◉ 평형성운동

#### ① 벽 잡고 한 발로 종아리 운동

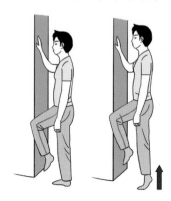

**1** 오른손으로 벽을 짚은 뒤 왼쪽 다리를 들고 선다.

**2** 오른발의 뒤꿈치를 들어 까치발을 만들고 10회 반복한다. 반대쪽도 같은 방법으로 실시한다.

#### ② 벽 잡고 한 발 밖으로 벌리기

**1** 오른손으로 벽을 짚은 뒤 왼쪽 다리를 들어 무릎을 직각으로 만든다.

**2** 들어 올린 다리의 무릎을 바깥쪽으로 벌려 엉덩이에 힘이 들어가도록 한다. 10회 반복한 후 반대쪽도 같은 방법으로 실시한다.

③ 벽 잡고 한 발 뒤로 들기

1 오른손으로 벽을 짚고 선다.

2 왼쪽 다리를 편 채로 뒤로 들어 올린다. 허리는 곧게 펴서 앞으로 숙여지지 않도록 하고 엉덩이에 힘을 준다. 바닥에 내려놓기 전에 다시 들어 올린다. 10회 반복한 후 반대쪽도 같은 방법으로 실시한다.

◉ **근력운동**

① 숄더 프레스

바른 자세를 유지하고 양팔을 90°로 구부렸다가 만세하듯 곧게 편다.

## ② 하프 스쿼트

무릎이 앞으로 많이 나오지 않도록
주의해서 의자에 앉는다는 느낌으로
엉덩이를 뒤로 뺀다.

## ③ 굿모닝

허리를 곧게 편 상태로 숙였다가 올라
온다. 이때 고개를 숙이지 말고 허리
가 구부러지지 않도록 주의한다.

## ④ 허리 누르기

바닥에 무릎을 세우고 누운 뒤 골반을 들어 올린다는
느낌으로 허리로 바닥을 누른다.

⑤ 복근운동

바닥에 무릎을 세우고 누운 뒤 몸을 말아서 머리와 어깨가 바닥에서 멀어지는 느낌
으로 윗몸일으키기를 한다.


⑥ 엉덩이 들기

바닥에 무릎을 세우고 누운 뒤 엉덩이를 들어 올려서 어깨와 무릎이 일직선이 되게
한 후 허리와 엉덩이에 힘을 준다.


*근력운동의 경우 강도를 높이려면 중량(아령, 바벨 등)을 추가하거나 반복 횟수
를 늘린다.

# 대장암 환자의 운동 조절

운동은 많이 할수록 좋다고 생각한다. 그렇다고 해서 암 환자들이 매일 하루에 두세 번씩 운동을 하는 건 좋지 않다. 전통적인 운동처방 가이드라인을 보면, 1주일에 두 번 하는 경우에는 현상 유지, 그리고 1주일에 세 번 이상 운동을 하는 경우에 기능 향상의 효과가 있다고 한다.

## ● 운동 종류와 목적에 따라 빈도를 달리한다

막연하게 1주일에 몇 번 운동을 하는가가 중요한 것이 아니라, 운동의 종류와 운동의 목적에 따라 운동 빈도 역시 달리하는 게 중요하다. 만약 하루에 30분 정도 가벼운 걷기 운동을 한다면 1주일에 7일 운동하는 것도 무방하다. 같은 맥락에서, 한 번에 8~10분 정도 소요되는 침상운동(코어운동)을 한다면 하루에 두 번씩 매일 운동을 해도 좋다. 반면에 고강도 유산소운동이나 고강도 근력운동을 한다면 1주일에 세 번 이상 하는 것은 오히려 부상을 초래하고 만성 피로를 유발할 수도 있다.

혹은 운동의 목적에 따라 운동 빈도가 달라질 수 있다. 만약 환자가 운동을 통해서 체중감량을 하는 것이 목적이라면, 1주일에 두 번, 하루 30분의 중강도 운동은 큰 도움이 되지 못한다. 반면에 환자가 근력운동을 통해서 근력 증진을 원한다면 1주일에 세 번, 하루 30분의 운동을 통해서도 효과를 볼 수 있다.

과유불급(過猶不及), 지나친 것은 부족함만 못하다는 이 말은 운동에 임하는 암 환자에게 적용되는 매우 중요한 말이다. 그동안 운동을 하지 않다가 체계적으로 짜인 운동프로그램에 참여하게 되면, 운동을 통한 신체적인 변화에 재미를 붙이게 되는 데다 실제로 많은 효과를 보게 되어 충분한 휴식 없이 무리하게 운동을 하는 경우가 많다. 이는 오히려 관절과 몸 전체에 부담을 주게 되어 부상과 부작용을 초래할 수 있다. 따라서 다음의 표를 참고해 운동의 빈도를 결정하는 것이 좋다.

| 운동의 종류 | 운동의 빈도 |
|---|---|
| 스트레칭 | 최소 1주일에 3~7번 |
| 저강도 침상운동 | 하루 1~2번, 1주일에 3~5번<br>(무리를 느끼지 않는다면 매일 해도 무방하다) |
| 저강도 근력운동 | 1주일에 3~5번 |
| 중량을 이용한 근력운동 | 1주일에 2~3번 |
| 저강도 유산소운동<br>(걷기, 고정식 자전거 타기) | 1주일에 3~5번<br>(가벼운 걷기는 매일 해도 무방하다) |
| 고강도 유산소운동<br>(달리기, 수영) | 1주일에 3~5번<br>(몸에 무리가 가지 않게 한다) |

- 항암치료 중인 환자의 경우 1주일에 최소 2일은 가벼운 걷기와 스트레칭을 제외하고는 운동을 하지 않도록 한다.
- 침상에서 하는 8~10분 정도 소요되는 운동은 매일 해도 무방하다.
- 1주일에 하루 정도는 가벼운 걷기와 스트레칭을 제외하고는 운동을 전혀 하지 않아 몸이 회복할 시간을 주는 것이 좋다.
- 고강도 운동의 경우(조기축구, 마라톤 등)라도 이미 오랫동안 실시해온 경우에는 환자의 몸이 이미 운동에 적응한 상태이므로 1주일에 3번 이상 해도 무방하다.

## ● 운동 시간도 잘 분배해야 한다

신문 기사 중에 한 번에 최소한 20분 이상 운동을 해야 운동의 효과가 있다고 한 기사를 본 적이 있다. 그렇다면 한 번에 20분 미만 하는 운동은 전혀 효과가 없을까? 그렇지 않다. 이 역시 운동의 목적에 따라 다르다.

체중감량을 목적으로 하는 유산소운동일 경우 한 번에 최소 20분 이상 하는 것이 좋다. 그러나 한 번에 10분씩 두 번에 나누어서 하는 것 역시 한 번에 20분 운동을 하는 것과 거의 흡사한 효과를 보인다. 많은 연구들이 보고하는 바에 의하면, 결국 운동의 효과는 총 운동량에 비례한다고 한다. 한 번에 1시간을 하는 것과 한 번에 20분씩 세 번에 나누어 운동을 하는 것 사이에 큰 차이가 없다는 이야기다. 근력운동의 경우에도 총 운동량이 중요하지, 한 번에 얼마나 많은 양의 운동을 하는가는 크게 중요하지 않다.

반면에 근력운동을 통해서 근 비대를 원하거나 혹은 보디빌딩이 목적이라면 한 번에 얼마나 많은 양의 운동을 하는가가 중요할 수 있다. 그러나 한 번 운동 시 너무 많은 양의 운동을 하는 것은 오히려 몸에 해로울 수 있다. 한 번에 90분 이상 중강도 이상의 운동을 지속할 경우 우리 몸은 근육과 단백질을 분해하여 포도당으로 사용하기 시작하며, 이때 스트레스 호르몬이 분비되기 시작한다. 특히 항암치료 중인 환자인 경우에는 한 번에 1시간 이상의 운동은 피하는 것이 좋다. 하지만 등산의 경우와 같이 피치 못한 상황으로 1시간 30분 이상 운동을 하는 경우도 생긴다. 이런 경우에는 중간 중간에 충분한 휴식을 취하면서 등산해야 하며, 그런 경우에도 4시간 이상 장시간 등산을 하게 되면 몸에 무리를 줄 수 있다는 것을 명심해야 한다.

## ● 제대로 된 방법으로 운동해야 한다

아무리 몸에 좋은 운동이라도 지나치거나 혹은 잘못된 방법으로 하게 되면 오히려 몸에 독이 될 수 있다는 것을 기억해야 한다. 하버드 메디컬스쿨의 '유방암 완치 피트니스'에서는 운동에 참여하는 암 환자에게 10가지 안전수칙을 제시하고 있는데, 대장암 환자에게도 적용되는 내용이니 이를 참고해 올바른 방법으로 운동하도록 한다.

① 시작 허가를 받는다.

운동을 하기 전에 피하거나 제한해야 할 운동에 대해 주치의의 허락을 받는다.

---

**TIP 운동 시 주의할 점**

1. 백혈구 숫자가 적거나 면역력을 약화시키는 약을 복용하는 경우, 많은 사람들이 함께 운동하는 체육관이나 헬스장보다는 집에서 혼자 할 수 있는 운동을 하는 것이 바람직하다.
2. 지나치게 피곤하거나 운동할 만한 컨디션이 아닌 경우, 간단한 스트레칭과 침상운동만 한다.
3. 골다공증이 심하거나 뼈와 관절에 암이 전이된 경우, 관절에 무리가 가는 운동이나 높은 중량을 이용한 운동은 피한다.

② 예방 대책을 세운다.

현재 상태 또는 치료 단계에 대해 충분히 숙지한 후에 운동에 참여한다.

③ 준비운동을 한다.

본 운동을 시작하기 전에 스트레칭과 가벼운 유산소운동을 통해 부상을 예방한다.

④ 순서를 지킨다.

고강도 운동을 시작하기 전에 반드시 스트레칭과 저강도 유산소운동을 하는 것이 좋다. 수술로 근력이 약화되었거나 방사선치료를 받은 경우, 근육을 무리하게 혹사시키는 운동은 피하는 것이 좋다.

⑤ 천천히 진행한다.

성급하게 높은 강도의 운동을 너무 자주 하게 된다면 부작용을 일으킬 수 있다. 과유불급을 기억하자.

⑥ 몸의 균형을 맞춘다.

힘이 센 쪽으로 더 많은 무게를 드는 것이 아니라 항상 양쪽에 같은 무게의 운동을 하도록 한다. 그리고 이두운동을 했다면 반드시 삼두운동을 해주고, 가슴운동을 했다면 등운동을 해주어 몸의 밸런스를 맞추도록 한다.

⑦ 질적인 것에 관심을 둔다.

양보다 질이기 때문이다. 목표량을 달성하기 위해 무리해서 운동을 하는 것보다 자신의 몸이 자신에게 말하는 것을 듣고 무리하지 않도록 한다. 좋지 않은 자세로 여러 번 반복하는 것보다 횟수가 적더라도 좋은 자세로 수차례 실행하는 것이 더 유익하다.

⑧ 언제든지 통증을 느끼면 운동을 중단한다.

'NO PAIN, NO GAIN(고통 없이 얻어지는 것은 없다)'은 암 환자에게 적용되는 말이 아니다. 운동할 때 몸이 아프다면 잘못하고 있는 것이다. 운동을 멈추고 의사, 운동치료사와 상의하라.

⑨ 필요하다면 휴식을 취한다.

열이 있거나 특별히 피곤한 경우에는 운동을 쉬도록 한다.

⑩ 천천히 강도를 낮추면서 운동을 멈춘다.

고강도 운동을 하다가 갑자기 운동을 멈추는 것이 아니라 서서히 운동 강도를 낮추며 운동을 멈춘다. 스트레칭으로 운동을 마무리하는 것도 효과적이다.

# 암은 내 인생의 기념비

**김병규(61세, 남, 자영업)**

1996년 어느 날, 갑자기 심한 출혈 때문에 병원을 찾았고 '암'이라는 진단을 받았다. 의사선생님으로부터 '직장암'이라는 말을 듣는 순간 한동안 그저 멍한 상태였다. 의사선생님은 과다출혈로 쇼크가 올 수 있으므로 당장 입원하라고 했다.

그 순간 나는 깨달았다. 평소에 정말 중요하다고 여겼던 직장 일이며 여러 약속들이 순식간에 하찮은 일이 될 수 있다는 사실을. 나는 수소문 끝에 세브란스병원을 소개받았고, 이곳에서 수술도 받았다. 직장암은 내 생애 험난한 시련을 의미했다. 암 투병을 해본 사람은 알지만 암 수술과 치료는 막심한 고통이었고 아픔이었다.

나는 담대해지려고 노력했다. 수술을 마치고 한 달여간 입원해 있는 동안 몸은 아팠지만 마음은 평온했다. 수술 후 1년 동안 항암약물치료와 방사선치료라는 정말 힘든 과정을 거쳤다. 그리고 극복했다.

나는 배에 남은 수술 자국을 보면서 이것이 내 인생의 기념비라고 생각한다. 이스라엘 백성들이 여호수아의 인도대로 요단강을 건너며 강에서 가져온 12개의 돌을 길갈에 기념비로 세우고 영원히 하나님을 경외할 것을 다짐했던 것처럼.

아픈 경험을 통해 나는 다른 암 환자들에게 쉽게 다가가 그들을 위로하고 격려한다. 그들에게 나는 희망의 증거이기 때문이다. 그러니 내 몸에 남은 수술 자국은 내 인생의 기념비라 할 만하지 않은가. 이 기념비를 만들어준 세브란스병원 대장암 전문클리닉 의료진들에게 다시 한 번 감사의 말을 전하고 싶다. 2008년에는 딸이 결혼했고, 그해 대학을 졸업한 아들은 직장생활을 하고 있다. 그리고 나의 투병이 기념비가 되도록 헌신해준 아내와 함께 나는 지금 제2의 인생을 살고 있다.

직장암은 국소 재발률이 높고 삶의 질과 관련된 배변, 성기능, 배뇨기능 등과 관련이 있어 의사 못지않게 환자들도 이러한 부분을 많이 걱정하곤 한다. 최근, 수술 후보다는 수술 전에 시행하는 방사선치료가 더 보편화되었는데, 수술 전의 방사선치료가 부작용이 적으며, 국소 재발률이 감소하고 항문괄약근 보존율도 증가한다는 연구 결과가 많아서이다. 이러한 치료법을 통해 완치된 환자의 경과를 지켜보는 것은 진료팀에게 치료 행위에 대한 자신감을 북돋아주는 일이라고 할 수 있다.

진단 당시 암이라는 말을 듣고 매우 당황해하며 안절부절못하던 환자의 모습이 기억난다. 그러나 의료진의 자세한 설명을 들은 후 의료진의 지시에 철저히 따라주었다. 김병규 환자는 항암약물치료와 방사선치료를 무사히 마쳤으나 이후 비정상적인 배변기능 때문에 고생을 했다. 그러나 이제는 배변기능이 호전되고 일상생활의 불편도 많이 감소되었다.

암을 진단받으면 많은 사람들이 당황해하고 검증되지 않은 치료법에 의존하다가 치료 시기를 놓치는 경우가 많은데, 환자와 가족들은 의료진의 지시에 철저히 따라 결국 완치의 열매를 얻었다.

# 감사하세요, 긍정하세요, 사랑하세요

**김대일(39세, 남, 직장인)**

남들에게는 한 해에 한 번 일어나기도 어려울 법한 큰일들이 내게는 2009년 봄과 여름 사이에 무려 네 번씩이나 연이어 일어났다.

첫 번째 큰일은 뜻밖의 전직(轉職)이었다. 두 번째 큰일은 극적으로 치른 결혼이었다. 세 번째 큰일은 첫 아이의 임신 및 탄생이었고, 네 번째 큰일은 바로 나와는 전혀 상관없을 것이라 여겼던 뜻밖의 불청객, 다름 아닌 '암' 진단이었다.

나는 결혼하기 전 10여 년의 세월 동안 무절제한 생활을 한 편이었다. 폭식과 폭음 그리고 줄담배, 과로 등으로 몸을 학대했더니 말 그대로 몸이 내게 독을 품었다. 새로 태어날 아이에 대한 책임감을 느껴 생애 처음 받아보는 대장내시경 검사 중 듣도 보도 못한 유암종이란 것이 직장에서 발견된 것이다. 그래서 CT를 찍게 되었다. 조그맣기 때문에 암이 될 가능성이 거의 없다던 그 유암종은 직장 근처 림프절에 둥지를 틀어 암으로 돌변해서 크고 있는 모습으로 발견되었다.

아내의 배가 하루가 다르게 불러올 무렵, 나는 이 달갑지 않은 친구와 깨끗한 이별을 고하기 위해 심란한 마음으로 세브란스병원을 찾았다. 여지없이 직장암 판정을 받았고, 김남규 교수님과 신상준 교수님은 혼신을 다해 치료해주셨다. 그 후 내 생활은 내가 생각해도 놀라울 정도로 변했다. 세 가지의 큰 변화가 일어났다.

첫 번째 변화는 모든 일에 감사할 이유가 보이기 시작했고, 늘 충심으로 감사하기 시작한 것이다. 암 때문에 직장의 90%를 도려내야 했지만, 아직 10%가 남아 있어서 감사했다. 그리고 환부를 도려낸 직장이 완전히 아물고 항암치료가 마무리되기까지 약 10개월 동안 장루를 달고 살아야 했지만, 이 또한 창피하거나 치욕스럽게 생각하지 않았다. 나는 장루를 달고도 주저하지 않고 예전보다 더 정열적으로 일했다. 심지어 일본과 미국 등지로 중요한 해외 출장도 여러 번 다녀오며 성과를 낼 수 있었다.

두 번째 변화는 '긍정의 힘'이 내 삶의 방식이 된 것이다. 매사에 감사가 넘치다 보니 암울한 마음은 생명력과 생기가 넘치고 긍정적 에너지로 가득해지기 시작했다. 그래서인지 모든 일에는 즐거워하고 기뻐할 이유가 있다는 걸 알았다. 세상의 눈으로 볼 땐 슬프고 우울해 보이는 일들도 기뻐할 이유가 있었다.

계속된 항암치료로 머리카락이 빠진 거울 속 내 모습이 불쌍해 보인다기보다는 오히려 '이젠 더 나이가 들어 보이니, 동안 때문에 본의 아니게 불이익을 봤던 내겐 딱이네!'라는 생각이 들 정도였다. 그래서일까? 당시 만나고 알게 된 클라이언트들은 오늘날 내게 둘도 없이 중요한 클라이언트들이 되었다.

세 번째 변화는 지금껏 세상의 즐거움과 허영에 취해 살던 내가 비로소 늘 내 곁을 지켜주는 가족과 소중한 분들과의 사랑에 취해 살기 시작한 점이다. 아파서 병상에 눕게 되면 누가 나를 소중히 여기는지 자연스럽게 알게 된다. 자연스럽게 인간관계의 우선순위를 알게 된 것이다.

임신해 무거운 몸임에도 병상에 누워 있는 나를 항상 정성을 다해 뒷바라지해준 아내와 한창 항암치료 중일 때 태어나서 내가 앞으로 더 잘 살아야 한다는 강력한 희망을 선물해준 아들이 없었다면, 나는 지금 과연 어떻게 됐을까? 내가 평생 다 갚을 수 없는 사랑과 희망을 안겨준 아내와 아들을 몸과 마음을 다해 사랑하는 것이 그 어떤 값비싼 와인이나 음식보다 더 즐겁고 달콤하다는 것을, 암이 나를 찾아왔기 때문에 알 수 있었다.

내게 삶이란 죽음을 향해 가는 것이라기보다는 말 그대로 '살아가는 것'이다. 내 인생이라는 책은 감동적인 클라이맥스와 마무리로 채울 수 있는, 아직은 비어 있는 장(章)들이다. 나는 오늘도 남은 날들을 멋지게 채워나가기 위해 더욱 감사하며, 더 더욱 긍정하며, 무엇이든 누구든 최선을 다해 사랑하고 있다.

유암종은 직장에 호발하는 흔하지 않은 종양이다. 대부분은 양성이고 국소절제로 치료가 잘된다. 드물게 악성이 있어 근치적 절제를 하지 않으면 전이되거나 재발되기도 한다.

김대일 환자의 경우, 크기가 작아서 걱정하지 않았던 유암종이 직장에 발생한 경우였는데, 의외로 CT나 MRI 검사상 직장 주변에 림프절 전이가 관찰되어 근치적 수술을 권하였다. 환자는 근치적 수술을 잘 받아들였고 힘든 항암약물치료까지 무사히 마쳤다. 가지고 있던 장루도 복원하였다.

환자는 젊은 날에 찾아온 불청객을 긍정적이고 적극적인 태도로 잘 돌려보낸 분이다. 더구나 병을 통해 인생의 귀중한 가치에 눈뜨게 되어, 본인의 말대로 행복한 삶을 위해 더욱 최선을 다하게 되었다. 이는 시련을 통해 거듭나는 삶의 축복으로 생각된다.

환자는 완치를 향해 더욱 건강에 조심하고, 규칙적인 생활로 기쁨과 감사의 나날을 보내고 있다. 병에 대한 적극적이고 긍정적인 태도가 병을 잘 극복하게 만든 것이다.

# 부록

대장암 Q&A
저자 및 베스트 대장암 전문클리닉 소개

# 대장암 10문 10답

대장암은 일반인들의 우려와 달리 예후가 좋은 편이다. 1기는 95%, 2기는 80%, 3기에도 60~70%의 5년 생존율을 보이고 있다. 이 수치는 미국이나 일본보다 높은 편이다. 대장암은 조기 검진과 생활습관의 변화를 통해 충분히 예방할 수 있는 암이며, 암에 걸렸다 하더라도 긍정과 희망의 마음을 갖고 꾸준히 치료를 받는다면 극복이 가능하다. 본문에서 다루었지만 환자들이 가장 궁금해하는 질문만 추려 알아보기로 하자.

**Q** 수술을 하면 대장을 얼마나 자르게 되나요?

**A** 수술 후 대부분의 환자는 대장을 얼마나 잘랐는지 매우 궁금해 한다. 하지만 대장은 길이가 길기 때문에 이것은 별로 중요하지 않다.

대장의 길이는 사람마다 다르지만 평균 1.5m이며, 대장암에 걸릴 경우 암세포를 완전히 없애기 위해 충분히 절제하고 있다. 암이 발병한 부위의 대장을 절제하고 나면 나머지 대장을 연결하는 문합술을 한다. 그 후 설사나 변비 등의 부작용이나 변화 등이 발생할 수 있으나 몇 달이 지나면 수술 전처럼 회복되어 일상생활에 문제없이 복귀할 수 있다.

다만, 직장암 환자 중에서 암 병변이 항문에 가깝게 있어서 문합부가 항문과 가까운 경우에는 수술 후 빈변(자주 변을 보는 증상) 또는 변실금이 심할 수 있다. 이런 경우에는 식사 조절과 약물치료로 증상의 완화를 돕는다.

**Q** 직장생활은 언제부터 다시 시작할 수 있나요?

**A** 치료가 종료되고 몸이 회복되면 일상생활 및 사회생활이 가능하다. 직장생활로의 복귀는 환자의 컨디션이나 일의 종류, 근무환경에 따라 달라진다. 퇴원 후 직장생활은 가능하지만 피로하지 않을 정도로 중간에 자주 휴식을 취해주어야 한다. 단, 심한 육체적 노동은 주치의와 상의한 후에 시작하는 것이 좋다.

**Q** 수술 후 몸에 좋은 다른 약을 복용해도 될까요?

**A** 국민 3명 중 1명이 발병하는 질병이 암이다 보니 자연 암에 대한 관심이 높아지고 있다. 그러니 주변에서도 환자를 걱정해서 이런저런 약을 권하거나 심지어 직접 마련해주기도 한다. 그러나 충분히 검증된 약들은 이미 치료를 위한 기본 약으로 사용되고 있다고 보면 된다. 주변의 말만 듣고 약초나 약제를 맹신해서 치료를 받아야 할 중요한 시기를 놓치는 경우를 만들어서는 안 된다. 만약 다니던 병원 이외에서 받은 약물이나 약초 등을 복용하려면 반드시 주치의와 상의하는 게 좋다.

수술 후 감기에 걸려 감기약 복용에 대한 염려도 많이 하는데, 감기약은 수술 상태에 특별한 영향을 주지 않기 때문에 복용해도 좋다.

**Q** 수술을 했는데 방귀가 많이 나와요. 정상인가요?

**A** 수술로 인해 장이 하던 기능을 잃어버렸기 때문이거나 복용 중인 약물 성분 때문일 가능성이 크다. 방귀는 입으로 삼킨 공기와 섭취한 음식의 발효에 의해 생긴다. 방귀를 줄이려면 될 수 있는 한 공기를 덜 삼켜야 한다. 그리고 껌 씹기, 흡연 등을 피하고 음식을 천천히 섭취하면 줄어든다.

**Q** 설사가 너무 심한데 약을 먹어도 되나요?

**A** 설사가 심할 때는 따뜻한 물을 마시고 배를 따뜻하게 찜질한다. 항문 주위 피부가 헐지 않도록 샤워기로 씻거나 좌욕을 하면 좋다. 하루에 5회 이상으로 설사 증상이 심하면 가까운 병원이나 본원 외래로 방문하여 설사약을 처방받는 것도 좋다.

**Q** 며칠 동안 변을 못 봤는데 괜찮을까요?

**A** 이 경우에는 따뜻한 물을 마시고, 배를 따뜻하게 찜질하고, 운동을 열심히 하면 나아진다. 억지로 힘을 주지 말고 따뜻한 물로 좌욕을 하면 항문이 부드럽게 열리며 변이 자연스럽게 나올 수 있다. 계속 변이 나오지 않고 배가 더부룩하면 가까운 병원이나 본원 외래로 방문하여 변비약을 처방받는 것도 좋다. 지속적인 변비와 가스 배출이 안 되면 장유착으로 인한 장폐색 증상일수도 있으므로 가까운 병원에서 진찰받는 것이 좋다.

**Q** 수술 전후에 치과 진료를 받아도 되나요?

**A** 대장암 수술 전에는 치과 치료를 받아도 된다. 다만 수술 시에 전신마취를 하고 인공호흡을 위해서 입을 통해 기관지에 관을 삽입하게 된다. 이 과정에서 치료한 이가 다칠 수 있으므로 이 부분을 고려해야 한다.

수술 후의 항암치료 시작 전이나 도중에는 치과 치료 시 출혈 및 감염의 위험성이 있기 때문에 피하는 것이 좋다. 다만, 꼭 치과 치료를 받아야 하는 경우라면 주치의와 상의하고 결정해야 한다.

**Q** 종양을 다 제거했는데 왜 재발이 되나요?

**A** 재발은 암이 새로 생기는 것이 아니라 처음 암 발생 시 이미 전이되었던 상태로, 수술 당시에는 보이지 않다가 시간이 지나면서 전이된 암세포가 커

지면서 보이게 되는 것이다. 또한 주변 림프관을 따라 간이나 폐 등으로 전이되어 나타나기도 한다.

따라서 수술을 통해 눈에 보이는 종양이나 림프절을 다 제거했더라도 보이지 않는 전이가 있을 수 있고, 재발할 수 있는 것이다. 수술 당시의 암이 초기인 경우라면 재발 가능성은 적다. 그러나 항상 위험은 있으므로 건강한 체력을 유지하고 주치의의 지시, 외래 방문 등을 소홀히 해서는 안 된다.

**Q** 장루 조성술을 받았습니다. 장애인으로 등록이 되나요?

**A** 항문 복원이 불가능한 영구 장루 조성술을 받은 경우, 복원 가능한 일시적 장루 조성술을 받았으나 추후 복원이 불가능하다고 판단되는 경우에 장애 진단을 받을 수 있다. 장애 등급은 장루의 종류와 합병증 여부에 따라 다르며, 자세한 내용은 장루전문 간호사와 주치의에게 상의하는 것이 좋다.

**Q** 장루 환자입니다. 특별히 병원에 방문해야 하는 증상에는 어떤 것들이 있나요?

**A** 다음의 증상이 있을 경우에는 병원에 방문해야 한다.
① 복통이나 구토가 2~3시간 지속되는 경우
② 장루에서 지속적으로 과다한 출혈이 일어나는 경우(가벼운 출혈은 있을 수 있으므로 거즈나 휴지로 살짝 압박을 가하거나 피부보호 파우더를 뿌린다)
③ 장루와 피부 사이(피부 점막 접합부)에서 계속적으로 출혈이 일어나는 경우
④ 피부 자극이나 궤양이 있는 경우
⑤ 장루의 크기와 모양이 비정상적으로 변화하거나 장루의 색깔이 보라색 또는 청색으로 변한 경우
⑥ 상당히 묽은 배설물이 5~6시간 이상 지속되는 경우
⑦ 장루 주위 피부의 가려움증이 심한 경우

## 세브란스병원 대장암 전문클리닉

세브란스병원 대장암 전문클리닉은 2005년 4월, 세브란스 새 병원 개원에 맞추어 소화기병센터 안에 개원하였다. 각 과의 교수들을 대장암 전문클리닉 내로 모이게 하여 대장 및 직장암의 진단, 수술, 수술 후 보조치료까지 '환자 중심으로 한 번에 (one stop), 한곳에(one place)'를 모토로 한 새로운 진료 체계를 마련하였다. 이 체계를 통해 소화기내과, 대장항문외과, 종양내과, 방사선종양학과, 영상의학과, 핵의학과, 진단병리과 등의 교수들이 함께 진료하며, 보다 긴밀히 협진하고 있다. 여기에 대장암 코디네이터 간호사, 장루상처 전담간호사, 외과 전담간호사 등의 협진으로 신속하고 질 높은 진료가 환자 중심으로 제공되고 있다.

## 세계적으로 인정받는
## 연구와 교육의 장

언론사에 베스트 팀으로 선정되기도 한 세브란스병원 대장암 전문클리닉은 2000년 부터 다학제적 접근을 시도하였으며, 매주 컨퍼런스를 통해 개별 환자에게 최적의 치료를 제공하기 위한 논의와 매달 한 번씩 대장암 위원회를 개최하여 재발 및 전이, 희귀암에 대한 다학제 논의를 시행하고 있다. 이렇게 축적된 경험과 소통으로 국내 최고의 팀워크와 전문성을 가지고 있다.

2012년 1월부터는 매주 한 번, 각 과 교수가 한 진료실에서 재발, 전이된 환자를 진료하는 다학제 진료를 하고 있다. 외래 환자를 대상으로 신속 진료(fast tracking) 제도와 입원 환자를 위한 대장 및 직장암 CP(Critical Pathway; 표준 진료 지침) 시스템을 통해 빠른 검사와 처치, 수술 후 빠른 퇴원 등 효율적인 서비스를 제공한다. 주 2회 운영하는 대장암 교육 교실에서는 수술 후 관리, 항암치료, 영양관리, 장루 관리 등을 통합하여 체계적으로 환자 교육을 하고 있다. 이 외 매년 대장암 환자와 보호자를 위한 건강 강좌, 장루 및 요루 보유자를 위한 건강 강좌 및 주치의와의 만남 행사를 개최하고 있다. 또한, 첨단 내시경 시술, 첨단 항암약물 및 방사선치료, 환자의 빠른 회복을 위한 복강경 및 로봇수술과 같은 최소 침습수술 등의 첨단 치료 방법을 배우기 위해 많은 국내외 의사들이 방문하고 있다.

세브란스병원 대장암 전문클리닉의 모든 진료팀원들은 낮은 마음으로 환자와 가족을 섬기고 의료 행위로 하나님의 사랑을 실천하며, 동시에 양질의 최첨단 의료 서비스를 제공하기 위해 최선을 다하고 있다.

▶ 예약 안내

**가 세브란스병원 대장암 전문클리닉**
**전화예약** 1599-1004
**대장암 전문클리닉 접수** 02-2228-5170~1
**코디네이터 상담** 02-2228-5198
**주소** 서울시 서대문구 연세로 50

**나 강남 세브란스병원 대장암 전문클리닉**
**전화예약** 1599-6114
**대장암 전문클리닉 접수** 02-2019-1220~1
**코디네이터 상담** 02-2019-1224
**주소** 서울시 강남구 언주로 211

| 저자 소개 |

**김남규**

세계 정상급 대장암 치료팀의 리더인 대장암 명의 김남규 교수는 1981년 연세대
학교 의과대학을 졸업하였고 동 대학원에서 석ㆍ박사 학위를 받았다. 전문의 과
정 수료 후 미국 미시간주립대학교 퍼거슨 병원에서 대장항문외과 연구 과정을
수료하고 현재까지 연세대학교 의과대학 외과 교수로 재직 중이다. 대한대장항문
학회 이사장을 역임하고, 현재 대한임상종양학회 이사장으로 재직 중이다.

진료과 대장항문외과
진료 분야 대장 및 직장암, 항문 질환, 최소 침습수술(복강경수술, 로봇수술)
학력 연세대학교 의과대학 졸업

## 세브란스병원 대장암팀

**김원호**
진료과 소화기내과
전문분야 소화기 질환
학력 연세대학교 의과대학 졸업

**김태일**
진료과 소화기내과
전문분야 대장 질환(대장암, 직장암,
대장 폴립, 염증성 장질환)
학력 연세대학교 의과대학 졸업

**천재희**
진료과 소화기내과
전문분야 염증성 장질환(크론병, 궤양
성 대장염), 베체트 장염, 기능성 장질
환, 대장 폴립, 치료 내시경, 대장암
학력 서울대학교 의과대학 졸업

**홍성필**
진료과 소화기내과
전문분야 대장 질환(대장암, 직장암,
폴립 절제술, 염증성 장질환), 위ㆍ대
장내시경, 치료 내시경
학력 연세대학교 의과대학 졸업

**박수정**
진료과 소화기내과
전문분야 대장 질환(대장암, 직장암,
대장 폴립, 염증성 장질환, 기능성 장
질환)
학력 연세대학교 의과대학 졸업

**백승혁**
진료과 외과
전문분야 대장암, 직장암, 염증성 장
질환 수술, 항문 질환, 최소 침습수술
(복강경수술, 로봇수술)
학력 연세대학교 원주의과대학 졸업

**민병소**
진료과 외과
전문분야 대장암, 직장암, 항문 질환,
최소 침습수술(복강경수술, 로봇수술)
학력 연세대학교 의과대학 졸업

**허혁**
진료과 외과
전문분야 대장암, 직장암, 항문 질환,
최소 침습수술(복강경수술, 로봇수술)
학력 연세대학교 의과대학 졸업

**노재경**
진료과 종양내과
전문분야 소화기암, 임파선암, 뼈종양, 두경부암, 유방암, 항암약물치료, 신약임상치료
학력 연세대학교 의과대학 졸업

**임준석**
진료과 영상의학과
전문분야 복부 영상의학
학력 연세대학교 의과대학 졸업

**안중배**
진료과 종양내과
전문분야 대장암, 비뇨기암, 항암약물치료, 신약임상치료
학력 연세대학교 의과대학 졸업

**김여은**
진료과 영상의학과
전문분야 복부 영상의학
학력 연세대학교 의과대학 졸업

**신상준**
진료과 종양내과
전문분야 소화기암(대장암, 위암), 비뇨기암, 피부암, 항암약물치료, 신약임상치료
학력 영남대학교 의과대학 졸업

**윤미진**
진료과 핵의학과
전문분야 분자영상(종양, 염증), 동위원소치료
학력 연세대학교 의과대학 졸업

**정민규**
진료과 종양내과
전문분야 소화기암(대장암, 위암, 항문암), 악성 흑색종, 항암약물치료, 신약임상치료
학력 연세대학교 의과대학 졸업

**지선하**
진료과 역학건강증진학과
전문분야 역학보건통계
학력 연세대학교 보건과학대학 졸업

**금웅섭**
진료과 방사선종양학과
전문분야 소화기암(위암, 직장암, 항문암), 부인암, 전이성 척추암
학력 연세대학교 의과대학 졸업

**전용관**
진료과 스포츠의학
전문분야 비만, 당뇨, 암
학력 연세대학교 체육교육과, 앨버타 주립대학 졸업

**김호근**
진료과 병리과
전문분야 소화기병리학, 분자병리학
학력 연세대학교 의과대학 졸업

**이정민**
전문분야 임상영양사
학력 연세대학교 보건대학원 졸업

**백미경**
전문분야 상처장루실금 간호사
학력 연세대학교 보건대학원 졸업

**하수정**
전문분야 외과 전담간호사
학력 연세대학교 간호대학 졸업

**이윤진**
전문분야 상처장루실금 간호사, 종양
전문 간호사
학력 연세대학교 간호대학원 졸업

**이신애**
전문분야 소화기내과 전담간호사
학력 이화여자대학교 대학원 졸업

**한은진**
전문분야 상처장루실금 간호사, 임상
전문 간호사
학력 연세대학교 간호대학원 졸업

**박지영**
전문분야 방사선종양학과 코디네이터
학력 연세대학교 간호대학원 재학 중

**김희정**
전문분야 상처장루실금 간호사, 임상
전문 간호사
학력 연세대학교 간호대학원 졸업

**김영미**
전문분야 대장암 전문클리닉 코디네
이터, 종양전문 간호사
학력 연세대학교 간호대학원 졸업

**정혜정**
전문분야 외과 전담간호사
학력 연세대학교 간호대학원 졸업

## | 강남 세브란스병원 |

**박효진**
진료과 소화기내과
전문분야 대장암, 직장암, 기능성 장
질환, 치료 내시경
학력 연세대학교 의과대학 졸업

**윤영훈**
진료과 소화기내과
전문분야 대장암, 직장암, 치료 내시
경(내시경 점막하박리술, 폴립 절제
술)
학력 연세대학교 의과대학 졸업

**손승국**
진료과 외과
전문분야 대장암, 직장암, 염증성 장
질환, 변비, 변실금, 항문 질환
학력 연세대학교 의과대학 졸업

**이강영**
진료과 외과
전문분야 대장암, 직장암, 최소 침습
수술(복강경수술, 로봇수술)
학력 연세대학교 의과대학 졸업

**강정현**
진료과 외과
전문분야 대장암, 직장암, 항문 질환,
최소 침습수술(복강경수술, 로봇수술)
학력 연세대학교 의과대학 졸업

**조재용**
진료과 종양내과
전문분야 소화기암, 전이암 표적치료,
유전자 맞춤 신약임상치료
학력 연세대학교 의과대학 졸업

**이익재**
진료과 방사선종양학과
전문분야 소화기암, 전이암 방사선치
료, 토모테라피
학력 연세대학교 원주의과대학 졸업

**정재준**
진료과 영상의학과
전문분야 복부 영상의학
학력 연세대학교 의과대학 졸업

**홍순원**
진료과 병리과
전문분야 소화기, 내분비, 신장병리,
세포병리
학력 연세대학교 의과대학 졸업

**송혜경**
전문분야 대장암 전문클리닉 코디네
이터
학력 서울대학교 간호대학 졸업

**노지영**
전문분야 외과 전담간호사
학력 연세대학교 원주의과대학 간호
학과 졸업

**원은애**
전문분야 상처장루실금 간호사
학력 연세대학교 간호대학원 재학 중

# 대장암
# 완치 설명서

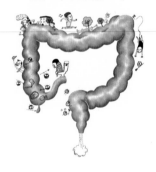